AI世紀を生き抜く
人間脳力の鍛え方

梶谷通稔
元 米国IBM
ビジネスエグゼクティブ

河出書房新社

大変革の時代をチャンスととらえ日本の未来を拓くために
——はじめに

●世界を激変させるＡＩの進化

あなたの脳はガラ空きではありませんか？　充分お使いでしょうか。実は、コンピューターの動く原理は脳の神経細胞の働きとまったく同じで、詳しくは第2章でわかりますが、あなたは新聞の一般紙朝夕刊５００年分以上の情報すべてを収納できる脳をお持ちなのです。

だからエリート職を代替し始めているＡＩ世紀が始まった今こそ、もっと使わないと、もったいないということなのです。

では頭がいいとはどういうことか？　これから最後まで読んでいただくことによって、あなたは第8章で詳細する天才といわれるまではいかなくとも、少なくともＡＩ世紀への心構えとご自身の変化が見られるはずです。

さらにあなたがお子さんやお孫さんをお持ちならば、本書の中身を彼らに伝えていただくことにより、それこそ１００年に一度あるかどうかという激変時代が始まったこのＡＩ世紀をたくましく生き抜き、世の中から賞賛される人物へと成長していってくれるはずです。

本書は日本だけでなく、海外にいる筆者の各界友人知人たちの情報網もフルに活用し出来上がったもので、脳の働きに始まり、ＡＩ世紀に備えてわかりやすく解説したものとして「世界初のＡＩ

指南書になるだろう」と彼らはいっています。

とうとう人工知能は一般個人の日常生活の中にまで入ってきました。それどころか高学歴のエリート職を次々と代替し始めており、人間しかできない分野で、あなたの脳のフル活用が一層望まれる時代に突入したということです。

2022年11月30日に発表された対話式の人工知能（多言語に対応するChat〈チャット〉GPT）は、〝まるで人間〟といわれるような丁寧で洗練された文章で応答をすることから、またたく間に世界中に広がり、2か月で1億人、2023年3月までには3億人も使っているともいわれています。

その対話による回答は、ペンシルベニア大学の期末試験で「B」判定、つまり平均点Cレベルのさらに一段上の評価で、またアメリカ国家医師資格試験やMBA（経営学修士）の記述試験でも合格ラインに達したという能力を発揮。

また日本では、2023年4月10日に開発元・オープンAI社のサム・アルトマンCEOが岸田首相を電撃訪問して、日本に早期のオフィスを設け、今後の開発のパートナーに日本を選んだことなどに言及しています。

このような状況からしてもこの対話式AIは、インターネット登場以来、スマートフォンと同様に世界を変えるインパクトをもたらすとされており、さらにサム・アルトマンは「これはまだ序章にすぎない。このあとさらに大きなことが起こる。確実にいえるのは、これからのAIは人々の仕事のやり方を一変してしまう」とまでいっています。

●AI認知元年となった2016年の出来事

振り返ってみれば、オックスフォード大学の教授と共同で野村総合研究所が、あと10年～20年の間に日本の雇用全体の約49%がコンピューター化のリスクにさらされると発表したのが、2015年12月。

そしてそのすぐあとの2016年、膨大な指し手があるためAIは永遠に人間には勝てないといわれていた囲碁の世界で、AIが韓国のチャンピオンを破りました。

またがん治療のベストメンバーがそろう東京大学病院で半年も病状がよくならなかった患者さんの治療薬を、わずか10分のデータ解析でAIが突き止め、結果、驚異の2か月での退院へと導いたのがやはり2016年。

そしてその2016年末にこれらの内容をNHKの『クローズアップ現代』が取り上げ、さらにNHKの国際報道番組が「100年に一度あるかどうかの激変時代が始まった」と報道したことなどが拍車をかけ、一気にこの時点でAIという言葉が、不安と期待の入り交じる形になって一般の人々の間に広まっていきました。

時を同じくして2016年、世界の政界や経済界のトップを含めた3000人が、年に1回集まるダボス会議で、2020年代におけるビジネス界で必要不可となるスキルトップ10を発表しました。

1位　問題解決力（Complex Problem Solving）
2位　思考力（Critical Thinking）

3位　創造力（Creativity）
4位　人的マネジメント（People Management）
5位　他者との協調性（Coordinating with Others）
6位　感性の知能指数＝EQ（Emotional Intelligence）
7位　判断力と意思決定（Judgement and Decision Making）
8位　サービス志向（Service Orientation）
9位　交渉力（Negotiation）
10位　認識の柔軟性（Cognitive Flexibility）

これらの項目をよく見れば、内容が数字、つまりデジタルデータにはならない、したがってＡＩではどうすることもできないものばかりで、だからこれはＡＩ世紀の到来を見据えた、これから一層重要で必須となるスキルに焦点を当てた項目だということがわかります。

こうした諸々の世の中の動きから、２０１６年はＡＩが一般社会に深く染み込んだＡＩ認知元年といってもいい年になります。

そしてその後、東大病院のようなアカデミックな世界だけでなく、水揚げしたばかりの雑多な魚を仕分けする漁港や街のパン屋さん、そして神社といったところまでも画像を学習したＡＩが使われ始め、こうしてＡＩは幅広くいろいろな分野で非常に役立つことがわかってきました。

一方でその裏を返せば、日本の３大難関国家試験のある弁護士、医師、公認会計士をはじめ、いわゆる一般に「士業」といわれる高学歴を必要としたエリート職種の仕事でもＡＩで代替されていくことにつながっていき、それがゆえに「仕事が奪われる」というマスコミの表現となって、盛んに報道されるに至ったわけです。

これらの流れからして、当初に誰もが考えたこと、「それでは、この勢いでAIの開発が進むと、人間はどうなるのか」という思いです。

そこで当時、マスコミ界がこぞって取り上げたのが、AI研究の世界的権威、レイ・カーツワイルが2005年に出版した書物で「2029年にはAIが人間並みの能力を備え、2045年にはシンギュラリティ、つまり技術的特異点がくる」というメッセージです。

技術的特異点という一般には聞き慣れない言葉だったがゆえに、AIに仕事を奪われるどころか、やがて人類はこの賢い知能を持ったAIに征服される、あるいは滅ぼされてしまうかもしれないという、人々の恐怖感をあおることにつながっていったわけです。

●エポックメイキングなChatGPTの登場

そして2022年11月、まるで人間との印象を世の中に与えたChatGPTの登場で新たな局面を迎えることになりました。そのひとつとして、スマートフォンやパソコンから問いを投げかければ、即座に丁寧な回答を返してくれるこの対話式AIは、どんな質問にも答えてくれる、まさに目の前にいる各個人に沿った万能の家庭教師になります。

だからこの対話式AIは、例えば大学で授業をするときの教師にもなれば、訴訟や法律の相談にのってくれる弁護士にもなることが見えてきます。

つまり、ＡＩとは脳の働きに代わるものですから、脳を使うことをより多く求められる高学歴の彼らの仕事ほど、ＡＩはその肩代わりをするというのは当然のことで、これらのことは一層よくわかります。

それは彼らにとって仕事の一部が奪われるということになりますが、一方、社会全般の人々にとっては一歩も二歩も進んで役立つものであり、当事者の彼らに対しては一層人間にしかできない新しい仕事へと向かわせる動機づけともなるもので、この流れは止めることはできないでしょう。

そしてもうひとつ重要なこと、それはカーツワイルのいっていた人間並みの能力を備えたＡＩはもちろんのこと、さらにその先をいくＡＩが身近に迫り始めたということです。

つまりChatGPTの登場でＩＴ業界のＡＩ開発競争が激化し、その歯止めもきかなくなるＡＩの制御不能な暴走、つまり疫病(えきびょう)や核戦争と並ぶ社会規模の人類危機を訴える有識者たちの書簡が公開されたことです。

これについては賢明な各国の有識者たちの努力によってリスク回避へと向かうことを願いつつ、新薬の開発や難病の克服といった分野で人類を救い、またあらゆる分野で従来の何十分の一という時間で仕事を片付け、飛躍的に生産性を向上させるという多くのプラス面を持つＡＩをフルに活用することが最善の道ということになります。

いずれにしても今の時点で重要なことは、１００年に一度あるかどうかという、一般日常の個人生活の中にまでＡＩが入り込んできたという現実です。

ダボス会議の項目内容からもわかる通り、ＡＩ世紀はＡＩにはまだできない未知の分野における

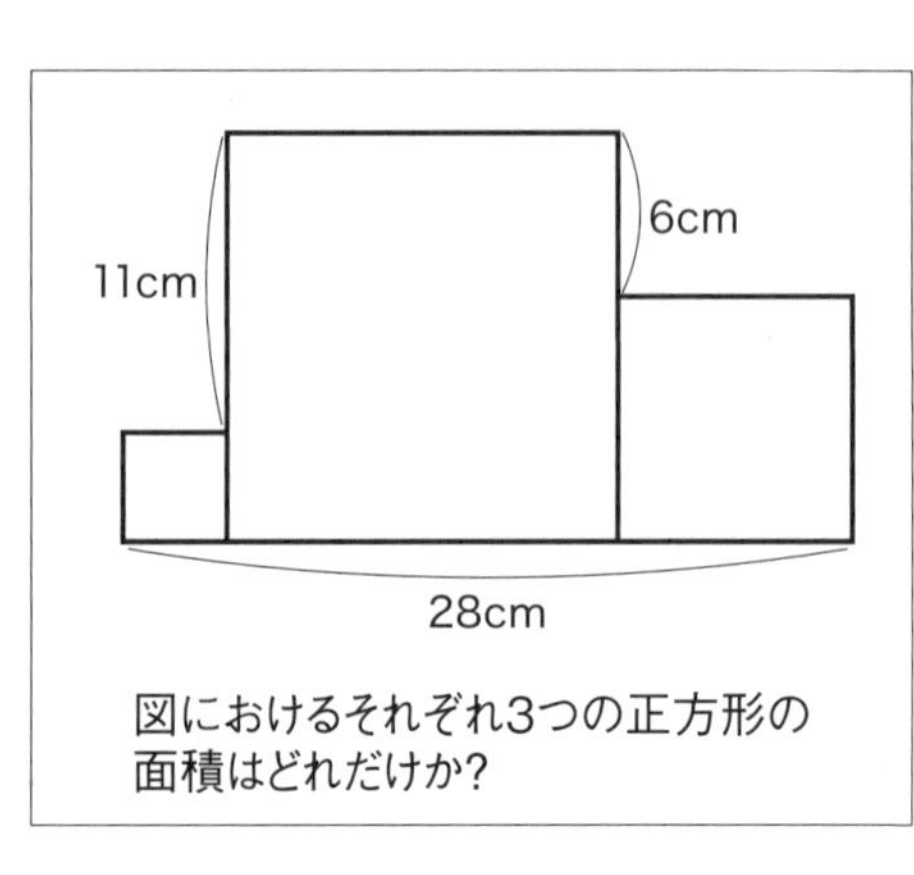

図におけるそれぞれ3つの正方形の面積はどれだけか?

未来指向の問題解決力が一層求められ、その要素である思考力、真の創造力などの「考える力」と、やる気やチャレンジ精神などの「気力」、このふたつの力から成る総合力こそが必要だということを指摘しているわけです。

この総合力の中身である要素については第４章以降で詳しく解説しますが、ここで考える力の中の要素、思考力について端的にわかる問題を出してみます。上図をご覧ください。

なかなか解けない方もいらっしゃるかもしれませんが、図におけるそれぞれ３つの正方形の面積を求める問題です。

まずはやってみてください。そしてあなたが解くのに10分以上かかったら次に進んでください。

解答は20ページに載せてあります。

●AI世紀の到来をチャンスにするために

筆者は各所でＡＩの講演をしてきておりますが、コロナ禍で講演ができなくなる直前、東日本大震災復興支援のボランティア活動として東北で話をしたときのことです。

「自分には就職活動を控えた息子を含めて３人の子供がいる。津波のあと家のことが大変だったので、子供たちにかまっているひまがなく、彼らの成績どころではなかった。だから彼らには申し訳なく思っている。

しかし今日の話で、世の中には学校にもいっていない、あるいは学業成績や学歴とは関係なく、独自の考える力と気力で多大な貢献をした人たちがたくさんいることがわかった。これを子供たちに話したい。

そして最近はＡＩについて多くのことを目にしたり耳にしたりするが、いずれもＡＩ社会では『思考力』『創造力』『洞察力』などの涵養（かんよう）が必須で、また教育界では『読解力』の不足、といった問題提起だけはされる。しかし実際どうやってそれらの力を身につけるかの肝心な情報がなく、それがわからなかった。

しかし本日の話で、それらのヒントをたくさんもらうことができた。そこで願わくば、自分たちにはもちろんのこと、それ以上にこれからのＡＩ世紀を生き抜いていかねばならない子供たちに伝えるためにも、詳しく紙にして残してもらうことはできないだろうか」

という声が寄せられたのです。確かにダボス会議でも、必要なスキルがあげられているだけで、ではどうやったら身につくかまでは教えてくれません。

また教職員団体におこなった講演での声に、

「本日の講演で、『大学受験にいかに受かるかではなく、天下国家をつくる今の10代の子供たちを育てるのが先生方の役目。子供は日本の財産。日本の50年後、１００年後は先生方が作るのです』と、ありがたい言葉をもらい奮い立つ想いがした。

明治維新で近代国家を作ってくれた幕末の志士たちは、自分のことよりも国の行く末を優先し、多くは25歳から30歳前後で命を落としていった青年たち。

しかしそれに比べ、我々教壇に立つ者が一生懸命教えても、卒業した生徒たちの中には定職につかず、いまだに親のすねをかじっていると思われる者もいる。

卒業後の彼らは幕末で短い生涯を終えた志士たちと同じ年代なのに、このままでは志士たちのような志を持って、これからの日本を背負っていこうという若者が出てくるかどうか、日本の行く末が心配になる。

ＡＩには問題を発見することもできなければ、ましてや志など持つこともできないと、今日の話で伺ったが、始まったＡＩ世紀こそ人間にしかできない重要なことや、またＡＩ世紀に力強く活躍できるよう、若者たちにわかりやすく伝えられ、我々も教材のようにいつでも手元に置いて使えるＡＩ指南書のようなものがあれば、少しでも若者の刺激として利用できるのだが……」

との言葉が漏らされたことです。

国が医療などの社会保障を通し手厚く支援している老人社会に対して、25～50代の皆さんにはそのような特別な支援もなく、黙々と一生懸命に血税を納めながらそれを支え、また子供たちの育成に汗を流しているこうした人たちの声や、一方始まったＡＩ世紀下でのビジネスパーソンに「少しでもお役に立てれば……」との思いから書き始めたのが本書です。

前半は脳とＡＩの話、後半は人間にしかできない能力とその身につけ方の話を中心に展開していますが、ＡＩ世紀の到来により、失われた30年の日本が再び世界の日本に復活するチャンスでもあることがわかります。

そして読者層を考慮し、本文を進めるにあたって留意したことがあります。

一般の読者を対象にした本でも、カタカナ用語を多用したり、難しい専門用語が散見される書物がしばしばあります。

しかしアインシュタインが「6歳の子供に説明できなければ、理解したとはいえない」といっていること、また本田宗一郎（本田技研工業の創業者）も同様に「素人にわかりやすいように説明できないようだったら、おまえがわかっていない」と主張していることなどから、本文ではできるだけ誰にでも理解しやすいような表現に配慮し、また図表も多く使って、さらにところどころに考える力を試す問題もからめながら話を進めます。

また登場されるすべての皆さんに敬称を略しておりますこと、お許し願います。

2024年吉日

梶谷通稔

第1章 〝超脳力〟をもつ人が教える AI世紀を生きる術

第2章 あなたの脳はずっとガラ空き？ AI世紀幕開けのヒントは赤ん坊

第3章 高学歴エリート職を脅かすＡＩが坂本龍馬には勝てないわけ

第4章　ＡＩもかなわない 世に認められている人々は、どこが違うのか

第5章 世界の第一人者が教える知頭力①「思考力と創造力」の身につけ方

第6章 世界の第一人者が教える知頭力② 「洞察力、説得力、決断力、読解力」の身につけ方

第7章 ＡＩには真似できない第一人者共通の資質とは

第8章 学歴はしょせん紙切れ。学問なき経験は、経験なき学問に勝る

カバーイラスト／ikonacolo／PIXTA
カバーデザイン／大野恵美子
図版作成／原田弘和
アルファヴィル

まえがきの「思考力」を試す問題の答え

これがこのあと本書で説いていく知頭力の問題です。

ユダヤの教え「人生で成功するための10の法則」では、知識より知恵を重視せよ、とあります。知識のある大人は、例外なく方程式を使って解こうとします。

つまり左の小さい正方形の一辺をXとすると、底辺の28cmは図の下の式になりますから、X＝4と出て、小中大の面積は、**16cm²、225cm²、81cm²**と出ます（上の図）。

しかし、方程式などの知識のない小学生は、知頭力があれば下の図のように折り曲げた形から、ものの20秒ほどで見事に解くのです。

折り曲げたとき、大きい正方形の3辺の合計は、11cm＋28cm＋6cm＝45cmとなり、だからその一辺は15cmとすぐに出て、小中大の面積も素早く答えられるのです。

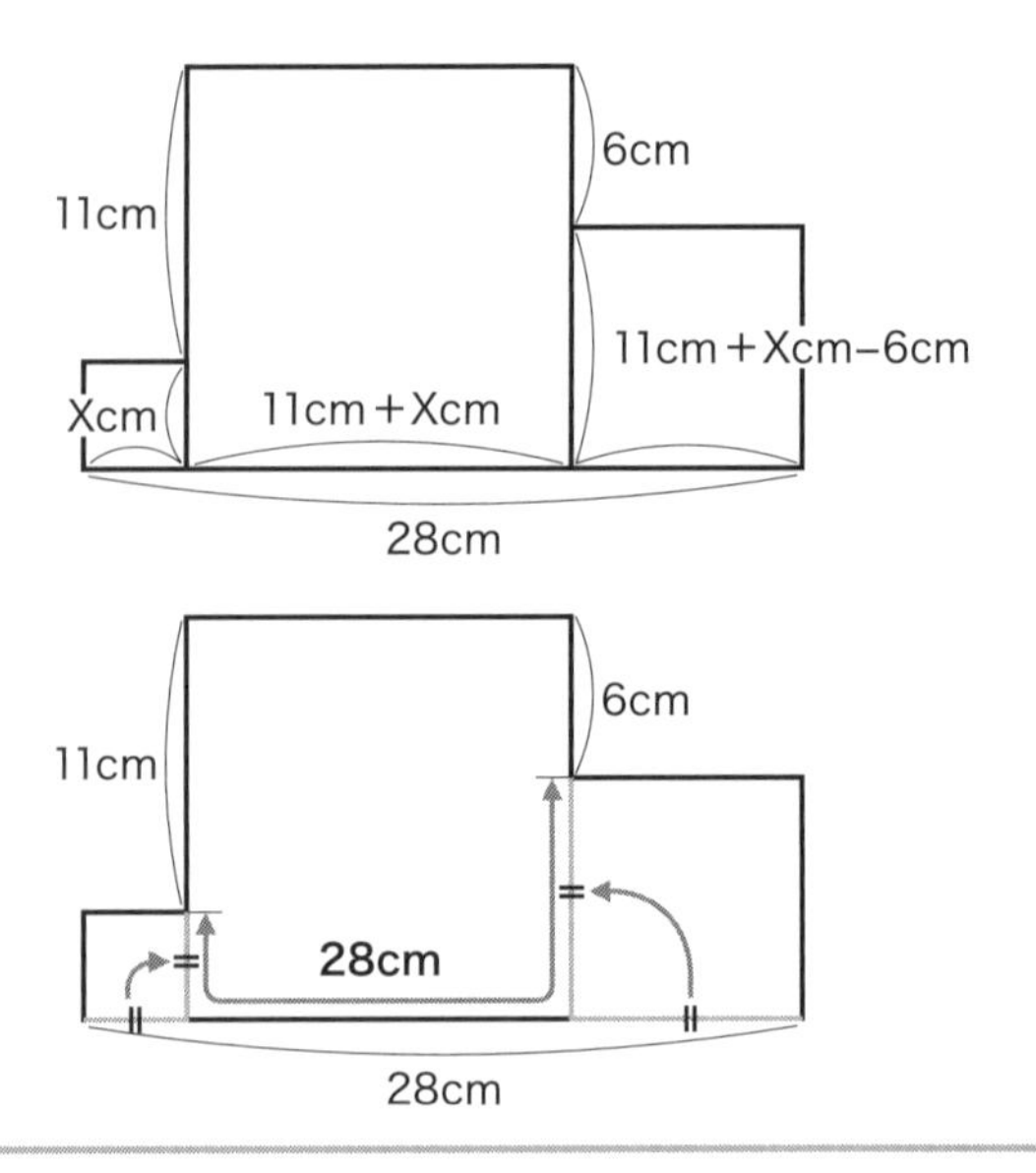

第1章

“超脳力”をもつ人が教える AI世紀を生きる術

●常識を超えた記憶力を持つ人々

人工知能、AIは人間の脳をお手本に開発されていることから、その現状と今後という肝心なAI世紀の世界に入るに際して、まずは簡単に脳の話から入らねばなりません。

そこで、まずあなたに質問です。

(1)あなたは1万冊の本の内容を一字一句記憶し、あとでいつでもその内容を全部引き出すことができますか。

(2)あなたは六本木上空のヘリコプターから25分市街地を見て、そのあとヘリコプターでは見ることのできなかった箇所を六本木ヒルズの屋上から10分眺めて、のちほどビルの窓の数まで入れて正確なパノラマ図を描けますか。

(3)あなたは、紀元5000年11月28日が何曜日に当たるか、すぐにわかりますか。

(4)あなたは円周率2万2500桁まで記憶できますか。

この4問は記憶と計算の問題ですが、「あほかっ、そんなことができるわけがないじゃないか」となるのが普通の反応でしょう。

ところがいとも簡単に、こんなことをやってのけるサヴァンと呼ばれる人たちがいるのです。さらに彼らは生まれながらにして脳の一部が欠損していたり、あるいはまた自閉症などのハンディを負(お)っているというのですから驚きです。

そこでなぜこのサヴァンの話を第1章の冒頭に持ってきたかと申しますと、彼らのことをよく調べてみていくうちに、あなたも彼らのような才能を持っているのに、その働きが発揮できないだけだということ、さらにそれがまたＡＩにもできない脳の働きとして、これからＡＩ世紀を生きていくうえで重要な脳の機能を如実に浮き彫りにしてくれる貴重な人たちだからです。

ではまず彼らの特異な才能を見てもらい、なぜあなたが彼らのような才能を発揮できないのか、またそこを出発点としてＡＩも近づけない脳の働く機能と領域を順に見ていきます。

そこで脳に関する簡単な基本知識が必要となりますので、まずはその予備知識として脳の話から入ります。

●脳は分業

心臓や肝臓、膵臓（すいぞう）や腎臓（じんぞう）、腸といった臓器は、そのどの部分を取っても同じ働きをしているのに対して、脳はそれぞれ部位ごとに独自の役割を持っています。

生命維持・生命活動は脳幹（のうかん）が、運動や体のバランスは小脳が、また五感や思考などの精神活動は大脳が受け持っており、大脳はさらに細かく分担領域があって、それぞれ「○○野（や）」と名付けられています。

なぜそんな細かな分担領域までがわかったかといいますと、

脳の3つの部位

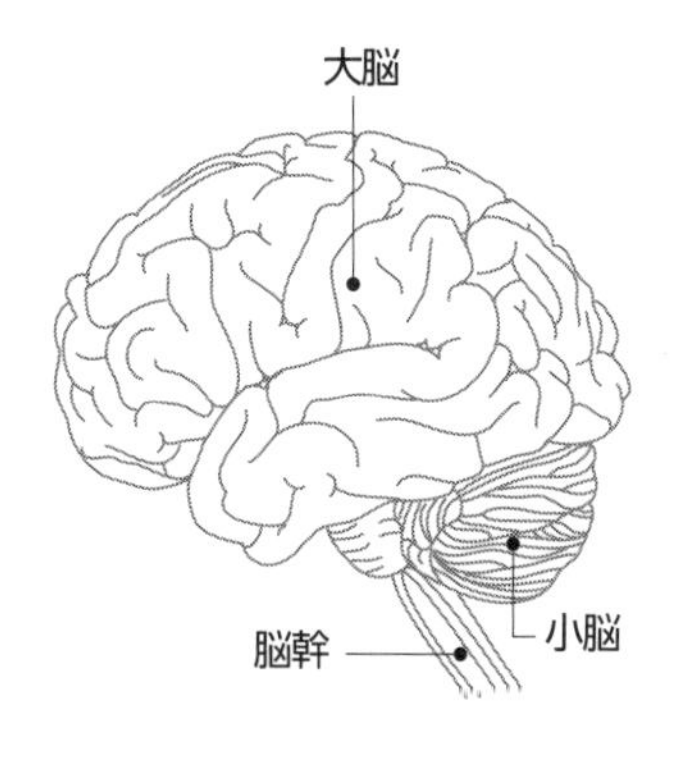

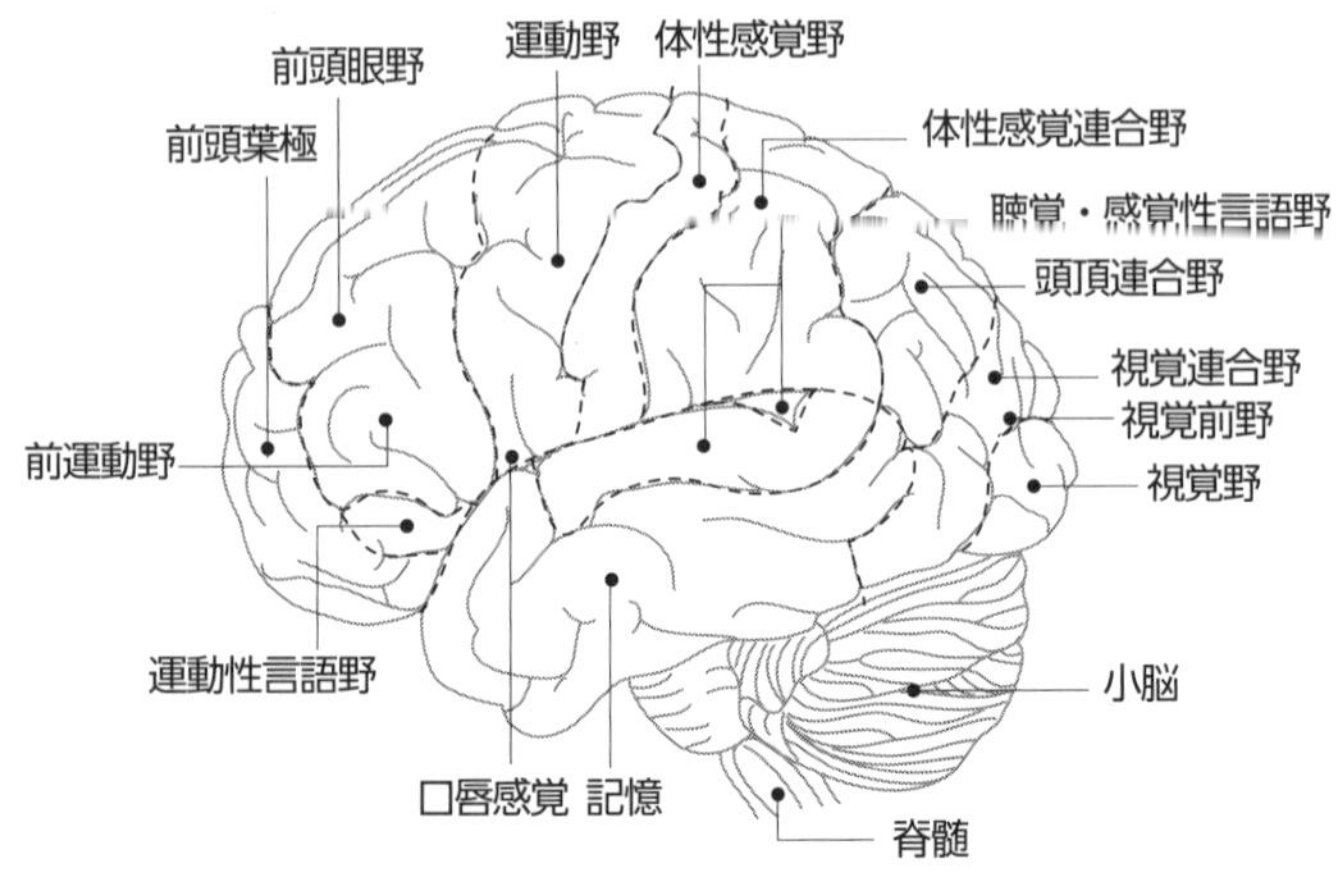

例えば、生前、眼に障害がないのに物が見えない患者さんの死後に脳を調べると、後頭部位に疾患があったことから、眼はカメラの役目しか果たしておらず、そこに何が映っているかの認識は後頭部の脳ではじめて理解できていることがわかったからです。同様に、五感の聴覚や嗅覚、触覚や味覚などの領域部位もこのような経緯でわかってきたわけです。

また、次ページのような図を見たことがあるという方も多いと思いますが、これは1933年、カナダの脳外科医・ペンフィールドが、ときたま発作が起こる患者の頭蓋骨を開き、脳を傷つけることなく体性感覚野と運動野という部分の表面に電気刺激を与えて、体に現れた反応、あるいは本人にどんな自覚があったかをその場でききき、そこで脳と部位との対応関係を図示したもので、手や口などの使う頻度の高いものほど、対応する脳の部位は進化的に発達して広い領域を占めていることがわかったのです。

だからここでお伝えしたいこと、それはのちほど説明

ペンフィールドのホムンクルス

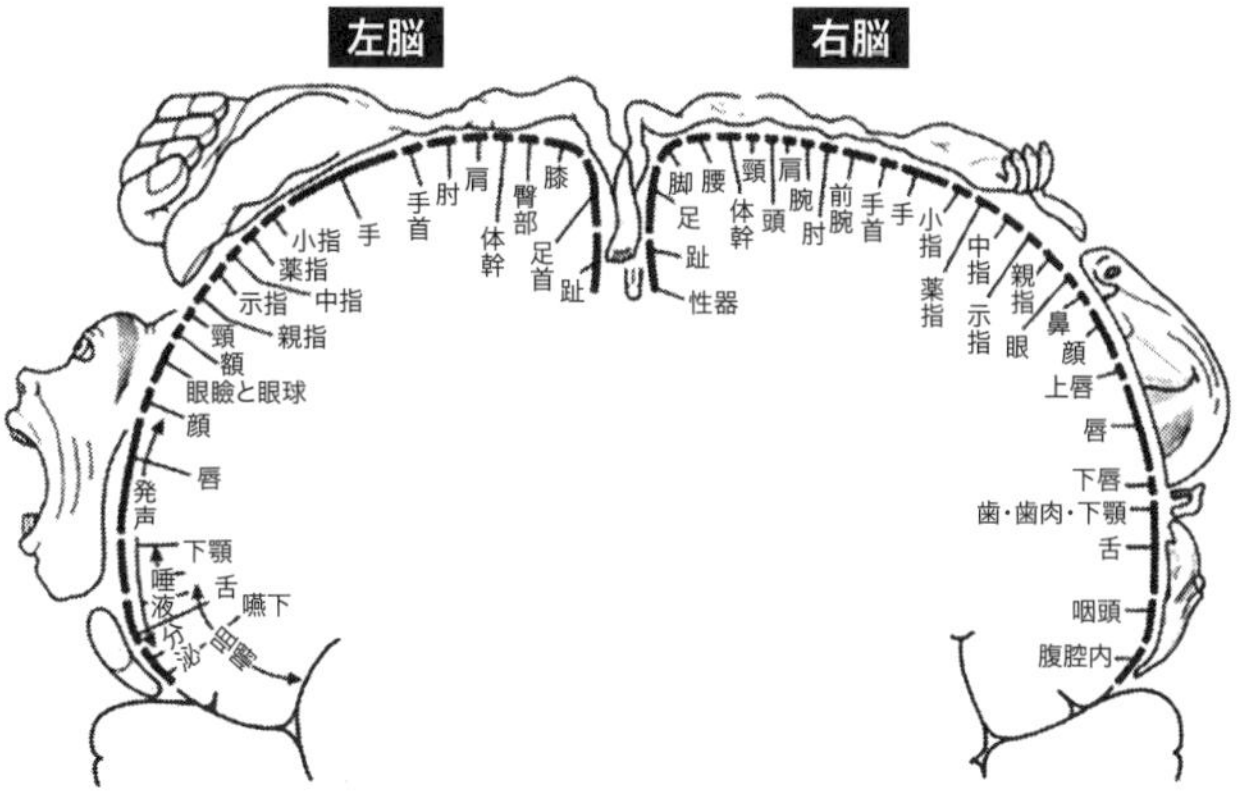

左脳　右脳

脳は使えば使うほど、担当の部位も発達

する思考や創造性などで重要な働きをする神経細胞のネットワークにおいても、使えば使うほど活性化し、その連結範囲が広がって、結果、知能が高まっていくということを示唆しているわけです。

ところで、五感に対応する部位の場所はダイレクトに物理的な関係として比較的理解しやすいものの、思考とか感情、さらに記憶といった物理的には把握しづらいものを司る脳の部位はどうやって特定できるのか疑問に思う方も多いのではないかと思います。

それは本書のメインテーマともなる重要なところなので、それが最初にわかった経緯を次に見てもらいます。

●ケガでわかった前頭前野〝内オデコ〟の働き

それは1848年、アメリカの鉄道建築技術者の職長・フィニアス・ゲージが事故に遭った話です。

彼は発破の作業中、事故により長さ1メールあまりもある鉄製の棒が刺さり、左目下から上へと脳を貫通。普通だったら一巻の終わりですが、かけつけた医師の質問

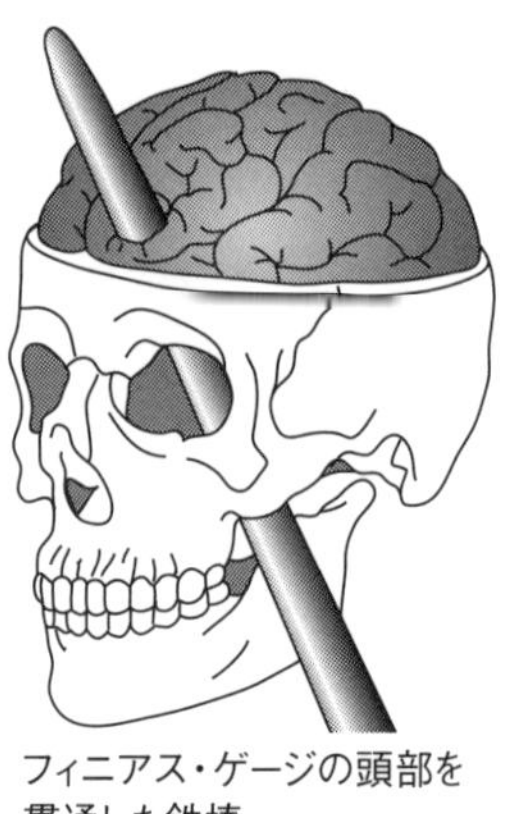

フィニアス・ゲージの頭部を貫通した鉄棒

に普通に答え、意識はしっかりしていたといいます。

奇跡的に命は助かり、その後、日常生活に復帰し、12年後に激しい痙攣（けいれん）を起こして生涯を閉じるまで生きながらえたのですが、ゲージの性格は事故以前とはまるで変わってしまったのです。

以前は礼儀正しく温厚で面倒見もよく、計画性や創造性を発揮しながら作業場のリーダーとして皆から尊敬されていたゲージは、事故後はやる気が失（う）せ、気まぐれで粗暴で下品になり、彼を知る人からは「もはや前のゲージではない」とまでいわれるようになったといいます。

このことから、損傷を受けた脳の前頭部は、生命維持とは関係なく、思考など人間としての高等な精神活動を司り、コントロールする部位であることがわかったわけです。

進化の過程でもわかりますが、動物は進化の順に前頭部分である前頭葉（ぜんとうよう）が大きくなっていき、一番発達しているのが人間です。

脳は他の臓器と違って、生きたまま切り刻んで調べたりはできません。

しかしゲージの例は170年以上も前の話ですが、その後、記憶とか感情、あるいは言語などを受け持つ部位も、最先端の科学技術を駆使し脳内の血流量や脳波を調べ、あるいは脳内の断面図まで撮れるようになったことから、さらに詳しい働きがわかってきたのです。

ここでの重要なメッセージは、前頭葉の中の前頭前野（ぜんとうぜんや）（おでこの裏側）こそが、思考や創造性、先見性や計画性、洞察や意思決定、感情や行動のコントロール、そしてコミュニケーション、やる気やチャレンジなどを一手に引き受け、さらに他の脳部位への司令塔として働く部位ということがわかってきました。

前頭葉の発達進化

ネコ　イヌ　アカゲザル　ヒト

前頭前野＝内オデコ

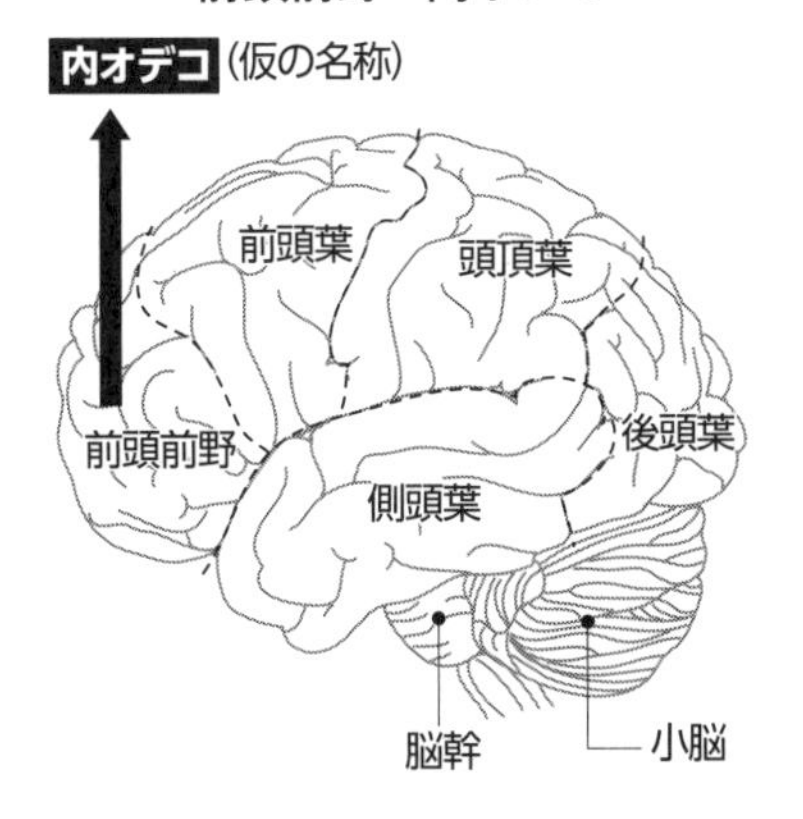

　脳の部位についてここまでは専門用語を拝借していますが、本書は学術論文でもなければ脳医学の専門書でもなく、一般の皆さんを対象にした書籍であることから堅苦しい表現は避けて、少々の乱暴は承知で、前頭前野のことを、これからはオデコの裏側という意味のわかりやすく、親しみやすい「内オデコ」と呼ぶことにします。

　では基本的な脳の予備知識を見ていただいたところで、いよいよ冒頭の4つの質問にからみ、あなたもその能力を持っていること、またそれらをなぜ発揮できないのかの話に入ります。

●万年カレンダー能力を持つ人

まずは特別な才能を持った人たちということで、海外のテレビドキュメンタリー番組で紹介された、いくつかの驚くべき能力を見てもらいます。

最初の人は、それまでに読んだ1万2000冊の本の一字一句を正確に記憶していたキム・ピーク(1951~2009年)です。彼の能力は記憶力だけではないのです。

彼にある特定の年月日を示すと、それが100以上前の日であろうと、数十年、あるいは3000年近く先であろうと、ほぼ即答で「何曜日か」を即答できるのです。

また、「1900年代で9月30日が土曜日の日はいつ?」と尋ねますと、たった24秒で、該当する14の年号を正解してしまったといいます。

そこで、本人にどうやって答えを出しているのか聞いてみても、返事は返ってこないのです。彼には、生まれつき右脳と左脳を結ぶ神経の束「脳梁」がなく、それがためかヒゲも剃れなければ、歯も磨けず、論理的な説明ができなくなっているのです。

映画『レインマン』は、彼がモデルの主人公をダスティン・ホフマンが演じ、アカデミー賞をはじめ、ゴールデングローブ賞ほか数々の賞が贈られています。

これで彼の特異な記憶力はわかりましたが、カレンダーに関しては記憶ではなく計算していると筆者は見ます。というのも紀元2000年近辺の曜日当ては即答で、一方、3000年先の500

0年11月28日の質問となると、「多分、多分、多分、金曜日、そんなところまで当てることは難しいよ」といって、3秒の時間がかかっています。

もしも彼が3000年先のカレンダーも、すでに頭の中で作っていて記憶しているとしたら、ずばりそこにある5000年11月のカレンダーを見るだけで一発でわかりますから、「多分、多分、多分」などとはいわないはずです。

つまり計算となりますと、西洋暦では4年ごとにうるう年が入り、その中で100で割り切れる年はうるう年にはならず、また100で割り切れても400で割り切れる年はうるう年となることなどから、3000年も先の曜日ともなると計算時間が必要で即答はできないのです。

コンピューターも曜日計算をさせているのですが、人間との処理スピードを比較すれば納得できます。コンピューターは秒速30万㎞の電気信号速度で処理し、一方神経の伝達速度は秒速120mですから、コンピューターのほうが250万倍速い処理スピードです。

だから、計算式が組み込まれているインターネットで「5000年11月28日は何曜日？」と入力すれば、瞬時に金曜日と出てきますし、また土曜日を当てる問題も、やはりコンピューター言語の計算式を入れておけば一瞬で出力され、彼のように24秒もかかることはありません。だから彼は人間の速度で計算していると考えられるのです。

さて、のちほど重要なAIとの関連性がわかってきますから、ここではまず、彼がサヴァンであり、記憶と計算というコンピューターが得意とする分野に特異な才能を発揮している人間であることを覚えておいてください。

●過去のどの日でも、何をしていたかわかる

次はアメリカ人のオーランド・セレル（1962年〜）です。彼もやはり曜日を即答できるとともに、特定の日を指定して尋ねると、その日の天候から、どこにいって何を食べたかなど、その日に体験したことすべてを思い出せるのです。

しかし彼はキム・ピークのように、生まれながらにして脳に疾患があったわけではありませんでした。

実は10歳のときに、野球のボールが左の頭部を直撃し、その日を境に過去のすべての曜日、天気、その日に何をしていたかなど、即座に思い出せるようになったというのです。

この事故を境として、彼の脳に変化が起こったのは確かです。

考えられるのは、経験した情景が写真のように時系列となって大脳に記録されて残っていること。そして普通の人の場合は何かの原因で、その記録を引き出しにくくなっているものの、セレルの場合は事故によりその何かの原因が除かれ、結果、それらの記録がスラスラと引き出せるようになったとみるのが自然です。

ここで重要なことは、過去の出来事の多くが思い出せないだけで、全部あるいは大部分が脳に蓄積されているということを証明している、このことを覚えておいてください。

やはりこのことを裏付ける1933年の事例があります。それはカナダの脳外科医・ペンフィールドが、健常者でありながら発作がときたま起こる患者の頭蓋骨を開き、大脳を傷つけることなく表面に電気刺激を与えて調べているときのことです。

患者がその途中で「音楽が聞こえる」といって歌い出したのです。これも脳内に収められていた記憶が電気刺激によって引き出された結果という以外に考えられないわけです。

ということは皆さんもこのふたりと同様に、見たり聞いたりしたことすべてが大脳の長期記憶域に記憶されているものの、日常の生活では何かが原因で、その記憶が引き出しにくくなっているだけだということが考えられるのです。

その〝何か〟について、さらに他の事例を調べていくうちに、共通するある重要なことがわかってきました。

●刻々と変わる光景も、窓の数まで記憶して再現

白黒の航空写真かと見まがうほど精密に描かれた1枚の絵。それはヘリコプターでロンドンの上空を30分ほど飛び、あとから記憶を頼りに家で鉛筆描きしたものです。

下書きを一切せず、一度も修正することもなく、休まず鉛筆を走らせ、3時間で描きあげたもので、ビルの窓の数や走っている車も正確に書き込んでいます。

これは記憶というものを通り越して、まさに写真そのもので、その瞬間を脳に焼き付けているとしか考えられない現象です。

2005年5月、来日した彼は東京の360度パノラマ光景も描いています。まずヘリコプターから東京市街を正味27分弱ほど見てから、今度は六本木ヒルズ屋上に移動し、ヘリコプターでは見ることのできなかった箇所を10分強眺め、その後スタジオに1週間閉じこもって高さ1m、幅10m

のパネルに緻密なパノラマ図を描き上げました。

検証のため、そのとき撮った写真と彼のパノラマ図をあとで重ねた合わせた結果、寸分違わず一致したのでした。

この内容は、次のYoutubeで見ることができます。

http://www.youtube.com/watch?v=zqQffcEHrb8（日本語）

記憶だけで航空写真のような絵を描くスティーブン・ウイルトシャー

この主はスティーブン・ウィルトシャー（１９７４年～）というイギリス人で、実は彼もまた姉がいつも付き添っていなければならない脳疾患の患者なのです。

彼は３歳のとき小児自閉症の診断を受け、４歳で脳疾患の児童専門学校に預けられました。しかし言葉をまったく理解せず、閉じこもったままで皆から孤立していたあるとき、校長が紙と鉛筆を与えると興味を示し、夢中になって、何時間でも絵を描くようになったのです。

11歳での知力は６歳相当でした。

ここであなたは、彼の神経が微細なところにまで及んでいるということを覚えておいてください。

●円周率2万桁をそらんじる記憶力

もうひとり、驚くべき記憶力を発揮する人物を紹介しましょう。イギリス人のダニエル・タメット（１９７９年〜）です。

24歳のとき、彼の記憶力が試されることになり、２００３年12月から３か月かけて、彼は円周率を２万２５１４桁まで覚えました。

そして３・１４にちなんでπ（パイ）デーとなっている２００４年３月14日、大勢が見守る中、オックスフォード大学のかつてアインシュタインが使用したという黒板の横で検証がおこなわれました。

「よ〜いスタート」で３・１４１５９……と彼が読み上げ始めてから２時間半、ようやく２万２５００桁の半分ほどまできたとき、水を飲むちょっとした休みを１回取り、その後再び続きを読み上げながら、「以上」といって彼が終わりの合図で立ち上がったときは、スタートから５時間９分24秒経っていました。最終的に読み上げたのは２万２５１４桁、すべて正解でした。

円周率を2万2514桁暗記した
ダニエル・タメット
写真出典：Haukurth at English Wikipedia

実は彼もまた脳に疾患を持ったひとりです。幼いころ一度激しい発作を起こし、その後自閉症との診断が下されました。

１８８７年、ダウン症の名付け親でもあるイギリスの眼科医・ジョン・ダウンが、膨大な量の書籍を一回読んだだけですべて記憶し、さらにそれをすべて逆から読み上げるという、とてつもない記憶力を持った患者の男性を、Idiot Savantと呼んで医学誌に報告したことから、以来、知的能力や言語などにハンディキャップを持つ反面、普通の人間にはとても真似のできないすばらしく特異な才能を発揮する脳の疾患者のことを指してサヴァンというようになりました。このサヴァンの人たちは自閉症の中に多く見られるのです。

ダニエルの自閉症は非常に軽かったおかげで、それまで閉じこもりがちだったのが、社会に出るころには社会生活に溶け込むようになっていきました。

したがって彼の特異な能力は残されたままで、会話など常人とほとんど変わらなくなったことから、いまではサヴァンのメカニズム解明の手がかりを提供できる貴重な人材となり、いろいろな研究機関に協力しているそうです。

●数字から色・質感・形など様々な模様をイメージ

ダニエルは、例えばあるかけ算の式を暗算でおこなう際、数字がときにダルマのような形に、またあるときは串刺しになったダンゴのような図形が頭に浮かび、ふたつの図形のあいだに、また新たな図形が浮かび上がってくるのだそうです。その図形の意味を読み取ると、かけ算の答えの数字になっているといいます。

いかがですか。自然体で語っている彼にとってはごく普通のことなのでしょう。

ここに記憶という点で、このダニエルとまったく同じことをいっているサヴァンを、もうひとり紹介することにより、なぜ常人にはサヴァンのような特異な能力を発揮できないのか、いよいよその疑問を解く核心に入っていきます。

さて、ここまでサヴァンの脳の凄さ、その一部を見ていただきましたが、それは単に彼らが発揮する能力の凄さを見てもらうためだけのものではありません。

肝心なことはこの懸案の謎解きです。そこで生まれつき不運ともいえる疾患を持った脳にもかかわらず、彼らには苦もなくできて、我々にはとてもその真似ができないなどと、脳の働きという観点から見れば、「そんなバカなことがあるか！」と、あなたの声が聞こえてきそうですが、まあ落ち着いてください。

ここで考えたのです。この謎解きを、むしろ逆に考えてみたらどうかと。つまり脳の働きで、我々には苦もなくできて、彼らには手も足も出せない世界のことを丁寧に調べれば、そこに何か新たなことがわかるかもしれない、そしてその原因がわかれば、その中から何か常人にも彼らにも役立つことが出てくるかもしれない、と考えたのです。

●驚異の才能を持つサヴァンに共通の「できないこと」とは

では続けます。このような視点から彼らを見ていきますと、「記憶や計算でずば抜けた才能を発揮する彼らに、そんな初歩的なことができないなんて！」と、思わず口走ってしまいそうな、彼らには「ある共通するできない重要なこと」が浮き彫りになってきました。

まずはソロモン・シェレシェフスキー（1892〜1958年）が代表して明かすサヴァンの特徴です。

まず、つぎの4つの4ケタの数字を見てください。

1234
2345
3456
4567

あなたはもちろん簡単に記憶できると思います。

シェレシェフスキーも簡単に覚えましたが、彼はこの16個の数字をそれぞれバラバラに記憶したといいます。私たちならこの数字の規則性がわかりますね。この数列がはるかに自然な関係性を持っていることに彼はまったく気づかないのです。

次はダニエル・タメットが代表して明かす特徴です。

その検査は、AとHの文字が一瞬現れては消えていく画面を見ながら、Aという文字が見えたら左手のボタンを、見えなかったら右手のボタンを押すという検査です。

おわかりのように、どちらの画面にもAが見てとれます。Hの文字で作った大きなAと、大きなHを作っている小さな文字のAがありますが、一瞬で現れ消えるケースでは一般に大きなAのほうを見逃すことはありません。

しかし彼は小さなHで作られている大きなAの図のときには

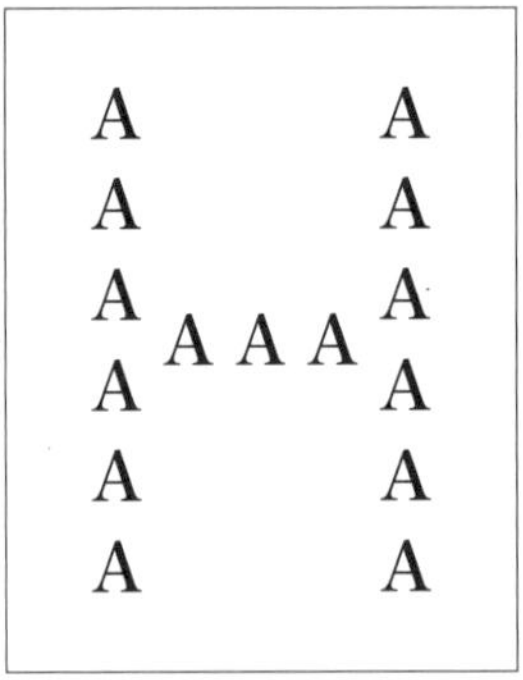

H
H H
H H
H H H H
H H
H H

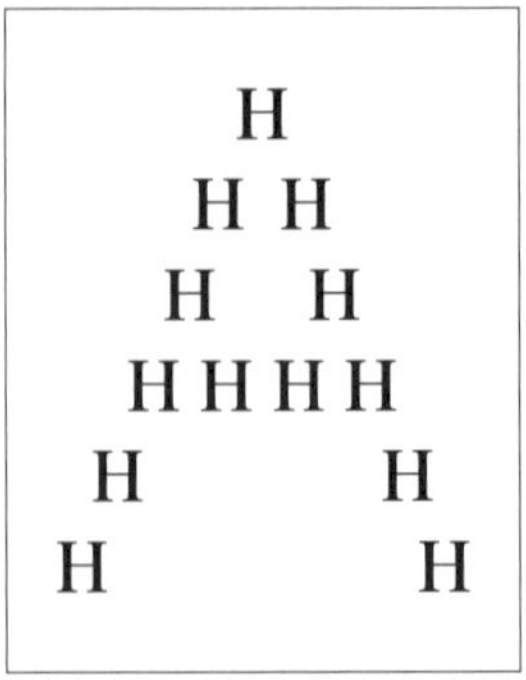

Aは見えない

A	A
A	A
A A A A	A
A	A
A	A
A	A

Aは見える

「見えない」のボタンを押し、小さなAで大きなHが作られている画面のときには「見える」のボタンを押したのです。

他の文字で同じように検査しても大文字が見えなくて、小文字だけが見えたことがわかりました。最後はキム・ピークです。

彼に対してはこんな検査がおこなわれました。まず15ほどの単語を読み上げてキムに覚えてもらい、数分後に新たにこちらが読み上げる単語が、先ほど覚えてもらった単語の中にあったかどうかを答えてもらうという簡単なものです。

実際、最初に読み上げた単語は「すっぱい、キャンディ、砂糖、苦い……」など15個で、そのほとんどが甘いものという概念につながっているものの、「甘い」という単語そのものは出てきません。そしてあとで読み上げる単語の中には「甘い」を入れ込んだもので確認すると、彼の回答は、「苦いはあった。キャンディはあった。甘いはなかった……」でした。

この検査をおこなったカリフォルニア大学のラマ・チャンドラン教授によると、このテストではほとんどの人が「甘いがあった」と答えるそうです。しかしキムは、一般的な概念に置き換えずにありのまま記憶するので、正確に覚えられるのです。

キムは言葉を常に額面通りに受け取るため、たとえが理解できません。「自分を押さえて」というと、文字通り自分の体を押さえ始めるのです。その行動からも、キムが概念的な思考をおこなっていないということがわかります。

以上、規則性がわからなかったソロモン・シェレシェフスキー、小さな文字ばかりに注意がいき俯瞰(ふかん)図の大きな文字がわからなかったダニエル・タメット、比喩(ひゆ)やたとえがわからなかったキム・ピークの例から、彼らは入ってきた情報をとにかく事細かに記憶することはできても、それらを頭の中で編集したり修正したり記号化したり、あるいはまとめて一般化する概念化や抽象化ができないということがわかります。

事細かに記憶するという点を見れば、窓の数まで正確に空からのパノラマ図を描いたスティーブン・ウィルトシャーの例でもわかりました。

●サヴァンと「内オデコ」の働きの関係

サヴァンが不得意とするこの一般化する概念化や抽象化を受け持っている脳の部位、それは「内オデコ」であることが今日までにわかっています。

これまで見ていただいた人たち以外にも、着替えが極端に苦手だったり、すぐに道に迷ってしまうなどの傾向がありながら、外国語の出来は大学レベルで、20以上の言語を理解し、世界中の新聞を読むことができるといったサヴァンなどたくさんいます。

その彼らの日常生活から容易にわかること、それは考えることの思考や創造、洞察や判断、計画性、感情や行動のコントロール、込み入ったコミュニケーション、やる気の動機付けなど、知能という分野の脳の働きが抑えられているということです。

鉄の棒でケガをしたフィニアス・ゲージの例もその一部を明かしたように、これらは「内オデコ」の働きです。

つまり大多数の人にはできるけれど、彼らには極端に苦手な分野、それには「内オデコ」が大きく関わっているということがわかります。

ではサヴァンが特異な能力を発揮する記憶力や計算力の主な任務を担っている脳の部位はどこなのかというと、それは長期記憶を受け持っている側頭葉であり、また複雑な計算に関与しているのは頭頂葉と前頭葉の一部であることが、これまでの研究でわかっています。

ここに至り、謎解きの重要なポイントとして考えられること、それは脳の進化の過程です。つまり「内オデコ」は、記憶や計算を担う脳の部位よりもあとから発達している、新しい脳部位だということです。

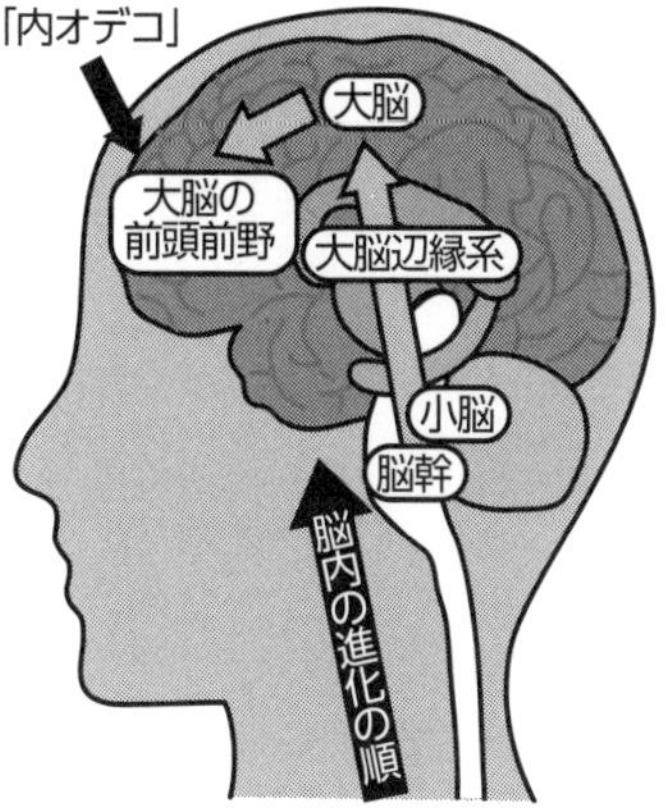

脳の進化の過程で、内オデコは、新しい部位になる

サヴァンの誰もが「内オデコ」の能力を発揮できないことや、またボールの直撃を受けたあとで過去の記憶が引き出せるようになったオーランド・セレルのことなどを考えると、「内オデコ」の発達段階で何が起こったかが想起されます。

それは、サヴァンの特異能力を発揮させようとすると、どうしても「内オデコ」の持つ、考える力や抽象化などの機能を発揮できないか、あるいはその役割を果たせなくなるという長い人類の歴史があって、それゆえに人間生活上の歴史の過程で、「内オデコ」の役割を最優先でできるように、サヴァンの能力を抑え込んでいるのではないかというのが筆者の謎解きの行き着いたところです。

サヴァンが得意としている計算はデジタルの世界であり、またのちほど説明しますが、記憶に関してもデジタルの世界なのです。ところがサヴァンには前述したように、思考や創造、感情のコントロールややる気の動機付けといった「内オデコ」を働かせることが苦手です。そしてこの「内オデコ」の働きはデジタルにならない世界です。

ここに至ってサヴァンは「内オデコ」の働きが、コンピューターが得意とする記憶や計算機能では処理できない世界であるということも合わせて教えてくれていることになり、サヴァンには感謝しなければなりません。

以上これらのことが、これから展開していくＡＩそして「内オデコ」の能力について踏み込んでいく原点となります。

知頭力を鍛える問題（1）

人間の「考える力」と「気力」を総合した本書のメインテーマ「知頭力（ちあたまりょく）」、その内容は第３章以降に詳述していますが、その中の主な要素である「思考力」を試す「知頭力を鍛える問題」を各章末に掲載します。ぜひトライしてみてください。

下の４つの絵の中で、「仲間はずれ」はどれでしょう？　その理由は？

（答えは次ページ）

知頭力を鍛える問題(1)の答え

図は左から「ひな祭り」、「端午(たんご)の節句(せっく)」、「入学式」、「七夕(たなばた)」として、暁星(ぎょうせい)小学校の入試問題に出されたものですが、筆者は非常にいい問題だと思っています。

なぜなら、幼少期から「考える」という知頭力が培(つちか)われる問題で、視点を変えて考えれば、いくつもの解答が出せるからです。例えば、

- **七夕(他の３つは、中の２つの絵が対になっているのに対し、七夕は１つ)**
- **端午の節句(こどもの日は国民の祝日で、他の３つは祝日ではない)**
- **七夕(七夕は夏の行事で、他の３つは春の行事)**
- **七夕(他の３つは3月、4月、5月と続いているのに、七夕だけ7月と飛んでいる)**
- **入学式(他の３つは、3月3日、5月5日、7月7日で、月と日が同じ数字)**
- **入学式(他の３つは奇数月で、入学式だけ偶数月)**
- **入学式(人間も木も生き物、他の３つは作り物)**
- **入学式(他の３つは古い歴史があるが、入学式は近代教育が始まってから)**
- **ひな祭り(他の３つは、読みに濁音(だくおん)が入る)**

……**などなど、どれもが正解**で、子供たちの考える力、つまり知頭力を培える訓練になるわけです。ちなみにあなたは、当然ひとつの正解を答えられたと思いますが、激変する世の中を乗り切っていくには、それだけではダメなのです。

第2章

あなたの脳はずっとガラ空き?
AI世紀幕開けのヒントは赤ん坊

●対話式AIのユーザーがどんどん増加

サヴァン脳の特徴を見ていただいたところで、いきなりの質問です。

徳川家康はどうして逃げたのですか？

失礼ながらあなたがよほどの歴史に詳しい専門家でもないかぎり、この質問への迅速な回答は無理でしょう。

ではその回答サンプルです。

徳川家康が逃げたとされる代表的な出来事は、「桶狭間の戦い」でのことでしょう。

「桶狭間の戦い」は、1560年に織田信長率いる軍勢が今川義元率いる軍勢と戦った戦いで、徳川家康は今川義元方に属していました。しかし、戦いの最中に徳川家康は突然逃走し、その後、織田信長の元に身を寄せることになります。

徳川家康が逃げた理由には諸説ありますが、一般的には以下のような説明がされています。

- 今川義元が戦いを放棄し、撤退することを決定したため、徳川家康も一緒に撤退する必要があったと考えた。
- 徳川家康は今川家においてはまだ若く、未熟な戦力と見られており、今回の戦いでも前線に立たされなかったため、居心地が悪かったという説もあります。
- また、逆に織田信長が徳川家康を見出し、今後の自分の野望に役立てることを期待して、徳川家康を引き抜いたという説もあります。

これらの説明の中には、逃げた理由に対して疑問を持つ人もいますが、真相は不明な部分が多く、謎が残っています。

いかがですか。実はこの回答は、筆者が無造作に思いつくままスマートフォンに打ち込んだ質問の結果で、これは間髪入れずにすぐに返してくれた対話式ＡＩ「Chat（チャット）GPT」が出した一字一句そのままの応答文です。

まるでそこに人間がいるがごとく、驚くような丁寧さで流暢な文章と内容です。何の前置きもなく短文でいきなり出した質問ですが、コンピューターは「逃げる」とはどういうことなのかもわからないはずなのに、あたかもその意味を理解しているとしか思えない回答です。

またさらに「どうして」という言葉には「どのようにして、どうやって」と「なぜ」というふたつの意味があるところも、ここでは「なぜ」という意味としてしっかりととらえ、「逃げた理由は」と、的確な応答をしていることとです。これでもこの無料版ChatGPT（ＧＰＴ‐３・５）には誤った回答もあるのですが、ＧＰＴ‐４の有料版になると、その精度はほぼ完璧に近い評価です。

従来の検索といえば、参考資料のありかを示すだけで、あとは自分で調べなさい、ということだったのに対して、この対話式ＡＩは一発で回答してくれます。

次の章でいくつかの代表例を見ていただければ、さらになぜこの対話式ＡＩが発表されたあと、またたくまに世界に広がったかがわかりますが、月間１億人というユーザー数に達するのに、これまで一番早くてTiKToKが９か月、次にＬＩＮＥで１年７か月、Instagram（インスタグラム）でさえ2年半もかかっています。

X（旧Twitter）やFacebookに至ってはそれぞれ4年と4年半、Google翻訳は6年もかかった歳月に比べ、このChatGPTは驚異の2か月という速さです。

利用価値がそれほどにもあるというよい指標です。ChatGPTによりこれまでの仕事の仕方が一変、生産性つまり時間短縮と正確性が上がります。だからその一方で、職も奪われることにもなるという経緯ものちほど見てもらいます。

●なぜ最近、AIが急に進化したのか？

さて、サヴァン脳の話のあとでAIの話に入っていくためには、どうしても脳が働く仕組みを簡単にでも事前に知っておいていただく必要があり、さらにまた、本書の後半で取り上げるこれからのAI世紀に最も重要な脳の働きについても、その一端をここで知っておいてもらいたく、この章の冒頭でチャットのAIを取り上げた次第です。

たとえサヴァンのように計算や記憶にどれだけ優れた才能があっても、その能力だけでは決してこの対話式AIは生まれていなかったということを知っていただくのがそのひとつ。そしてもうひとつは、このAIの開発に最も寄与しているのが「内オデコ」の働きで、中でも第5章のメインテーマにもなっている「思考力」、特に「なぜという疑問」を持つことがいかに重要であったかを知ってもらうためです。

本書の「はじめに」の項で述べた2016年のAIに対する一般社会での認知元年には、201

2年に明らかになったコンピューター技術、ディープラーニングとコグニティブ・コンピューティングという、ふたつの技術が寄与しています。

実は、コンピューターが囲碁の世界チャンピオンを負かしたのも、またこのChatGPTの働きも、ディープラーニングという同じ技術手法を使って生み出されたソフトウエア技術です。

筆者は勝手ながら誰でもわかりやすいように、その遂行(すいこう)する内容からこの横文字のディープラーニングを「特徴学習技術」、そしてコグニティブ・コンピューティングを「関連学習技術」と呼んで、以下、話を進めます。

この「特徴学習技術」が生み出された背景には、「なぜという疑問」が大きく貢献したのです。それは「赤ん坊でも簡単にできることが、なぜ複雑で高度な計算も簡単にこなしてしまうコンピューターにはできないのか」という長年の疑問があったのです。

赤ちゃんは母親をどこから見ても、あるいはどこでその声を聞いても、これは母親の顔だ、声だと認識し、また文法を教えなくても言葉を話せるようになります。

また、スプーンを持ち上げるといった細かい手先の作業なども、教えなくても赤ん坊には簡単にできます。ところがコンピューターにはこれらができなかったのです。

母親の顔はこうだと文字や言葉だけでわからせることは人間に対してでも難しいのに、ましてやコンピューターに対しては、なすすべもありませんでした。

「そんなのは簡単じゃないか、例えばコンピューターに母親の写真を読み込ませ、これが母親だと入力すれば、一発で済むことじゃないか」との声が聞こえてきそうですが、ここにはすでに人間が

脳とコンピューターの作動原理は同じ

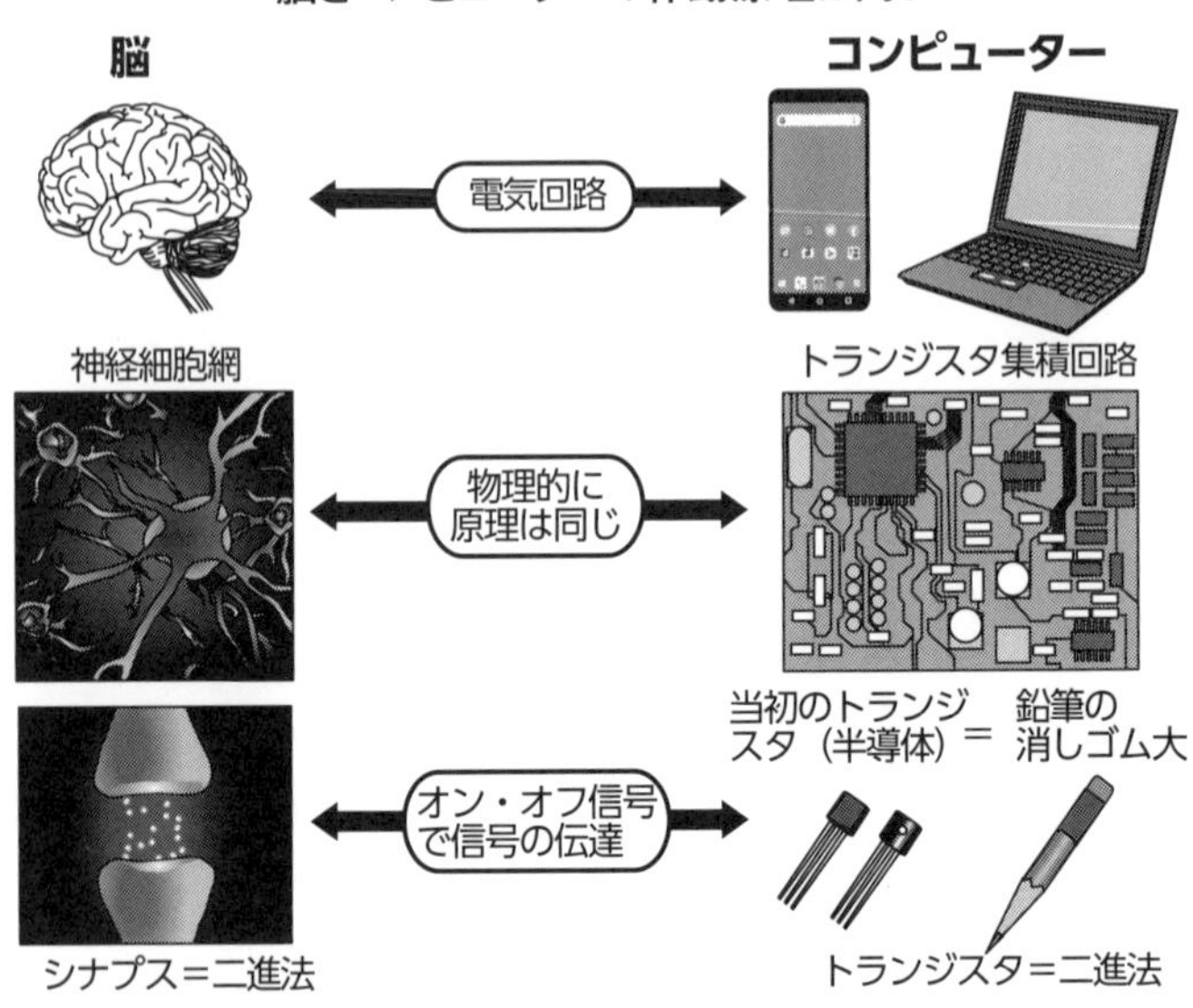

介在しています。

「これが母親だ」と事前に人間がコンピューターに教えており、コンピューターが自律的に判断しているわけではないからです。

これでは他人の顔もあれば、物も写っているたくさんの写真の中から、そこに紛れ込ませてある、いろいろとポーズの違う母親の写真を、コンピューターが認識して選び出すことなどはできません。

また、正確に早く作業をこなす工場の組立用ロボットでも、テーブル上に無造作にバラバラに置かれたいろんな形をしている用具のどれひとつといえども、的確につまみ上げるなどという簡単なことができなかったのです。

しかし赤ん坊とて最初からできたわけではありません。そこで大事な疑問、どうやってできるようになったのかという問いから、そこには試行錯誤の学習という過程があって、それをおこなう脳の仕組みがあるはずだというその解明が「特徴学習技術」の開発につながっていったのです。

精神活動をしている大脳には神経細胞が張り巡らされており、その神経細胞間で電気信号が流れることはわかっていましたから、そこでまずはその電気が流れるルートに従って計算や記憶、また思考や創造など諸々の精神活動がおこなわれているのではないかと考えたわけです。

その細胞間で信号の受け渡しをしてスイッチの役割を果たしているところをシナプスと呼んでいますが、コンピューターではトランジスタ、つまり半導体に相当するものです。

●特徴学習技術=ディープラーニングはどう開発されたか

そこで学習とはどうやってなされるのかという疑問を解いていくうちに、そのヒントは大脳にある神経細胞の積み重なった層にあるのではないかという見方に至りました。

大脳には神経細胞とそれを支援する10倍以上のグリア細胞があり、その中で平均2・5㎜の薄皮質でできている神経細胞は爬虫類(はちゅうるい)には3層しかないのに、知的な活動が見られる哺乳類(ほにゅうるい)になるとすべて共通して6層あるのです。

6層の大脳皮質

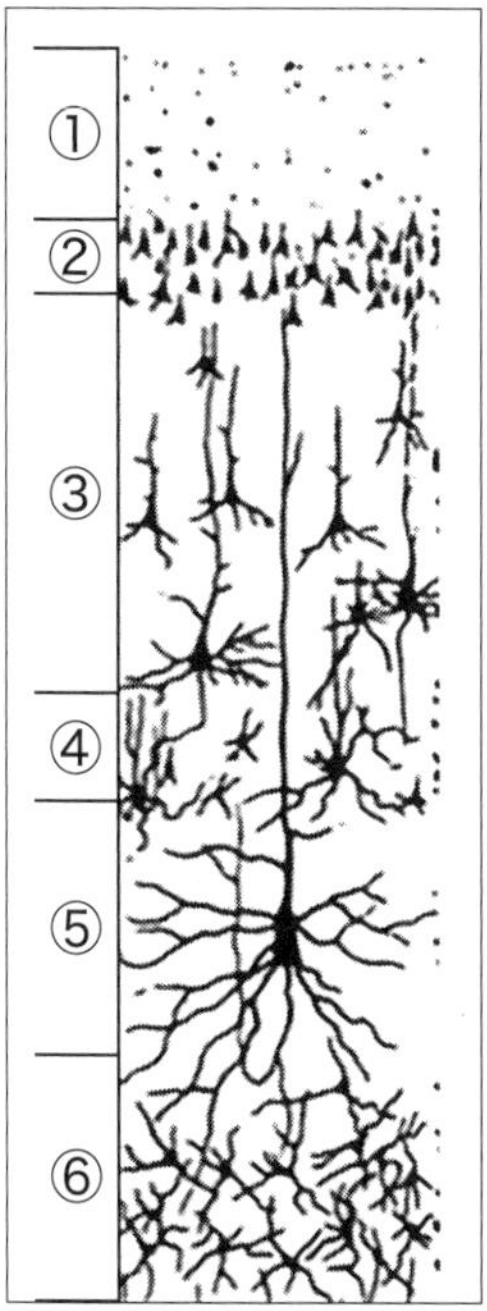

①
②
③
④
⑤
⑥

その疑問から出発し、脳内を電気的信号として伝わる情報は、シナプス同士のつながりの強さによって伝わりやすさが変わってくるのではないか、したがって層が増えれば増えるほど電導ルートも増え、「学習はこの深くなっている6層内を伝わりながらネットワークを作っていく過程で、シナプス同士の結びつきの強さが関係しているのではないか」という発想に辿り着きます。

そしてそれを真似た半導体ネットワークの層上で、例えばたくさんの画像から母親の顔を正しく認識した信号回路のつながりを強化するという方法を取っていった結果、母親の顔の特徴を抽出し認識するという「特徴学習技術」の開発に至ったのでした。いわゆるパターン認識です。

この半導体ネットワークの働きを、会社の組織になぞらえて、

- 判断が当たったときは、正しい判断をいった部下とのつながりを強める。
- 判断を間違えたときは、間違った判断をいった部下とのつながりを弱める。
- これを何度も何度も繰り返すと、組織全体で正しい判断ができるようになる。

と、日本のAI権威、東大の松尾豊（まつおゆたか）教授はわかりやすいたとえで説明しています。

1000の画像で判別を競うパターン認識の国際コンテストで、そのエラー率が20回のうち1回間違う人間と同レベルに達したのが2015年でした。この翌年、囲碁チャンピオンを負かしたわけです。そして2018年には人間の半分以下の20回に0・4回のエラー率となって、もはや人間は絶対に勝てないとなってしまったのです。

囲碁では過去の何千万という勝ちパターンの局面やAI同士で戦わせて学ばせた結果であり、このChatGPTはインターネットなどのビッグデータから言葉のつながり、つまり、ある言葉のあとに

よくくる言葉のパターンを徹底的に学ばせた結果によるものです。

ビッグデータという言葉をはじめて聞くという方のために簡単に説明しますと、従来の在庫管理や給与管理などの表になるような構造化したデータのほか、新たに動画や音声、書籍や論文、メールやネット上でのすべての情報等々、ありとあらゆる構造化できないデータが加わって、従来のデータ様式ではとても処理することができないほど巨大で複雑なデータの集合体と考えてもらえばいいと思います。

人間の大脳は6層から成っていましたが、ちなみに2016年韓国の囲碁チャンピオンを破ったときのコンピューターは12層でした。またそのネットワーク内で強弱の重みをつけるパラメーター数は1920万でしたが、2022年のChatGPTでは、実に2048個の層を持ち、パラメーター数は1750億個と6年間で飛躍的に進んだ進化版となっています。

余談ですが、囲碁チャンピオンに勝利したとき、もっと層を多く増やすこともできたそうですが、それ以上層を増やすと暴走するおそれがあるという理由で打ち止めにしたそうです。ディープラーニング（深層学習）のディープという命名は、その層の深掘りからきています。

●昔13億円、いま1円。コンピューターの素子実装密度は脳に近づいてきた

しかしこのような脳の学習する仕組みがわかっていても、それまでにはまだ大きな壁があったのです。2012年当時になるまではまともな実験もできなかった背景がありました。

シナプスに相当する半導体、つまりコンピューターで計算や記憶に使われるこのメモリー役の半

1960年代後半のIBM社の大型コンピューター

導体が非常に高価だったのです。また極小にする実装技術がまだ今日のレベルではなかったため、とても脳の持つシナプスの量や密度には遠く及ばなかったのです。

まずは値段。１９６５年、筆者のＩＢＭ入社当時のコンピューターの価格は実装メモリーの値段で決まり、最大で１メガバイト（８００万個）の半導体を実装した大型コンピューターで13億円もしたのです。しかも大型というくらいですから、その稼働スペースは20ｍ四方以上も必要でした。

その後50年弱の間に小型化生産技術も進み、２０１２年頃には８００万個の半導体が40円ほどになったのです。次第に日常的に実験ができるようになり、結果、トロント大学の「特徴学習技術」の開発成果に結びついていったわけです。

今ではパソコンなどに入っている８００万個の半導体は１円もしません。

しかし小型化が進んだといっても実装の密度という観点からすると、まだまだ赤ん坊にはとても及ばなかったのです。

人間の大脳にあるシナプス、いわゆる半導体の数は、あの狭い空間に１２５兆個（スタンフォード大学医学部２０１０発表）もあるからです。だから赤ん坊は、１２５兆個もあるメモリーをタダで使って、見るもの聞くもの何でもすべて、つまりビッグデータをためらうことなく次々と取り込んで、訓練・学習のためのベースとして利用できたわけです。

この大脳の表面積は新聞紙1面大の2213㎠ほどなので、そこに例えば2012年当時7500万個の半導体を搭載していた5㎜四方のチップで敷き詰めたとしても、その数は6600億個程度にしかならず、125兆個にはとても及ばないことがわかります。

しかし、18か月から24か月ごとに実装密度が倍になるという、ムーアの法則に従った従来の進化が続いていると仮定すれば、2024~2025年ころまでには大脳のシナプス密度までに追いつくことになります。

また半導体自体の微小化により信号回路もますます極小で済むようになりますから、それだけ回路を進む伝達時間を短縮できて、ビッグデータといえどもその処理にほとんど時間がかからなくなり、今ではChatGPTの応答も瞬時に返ってくるということがわかります。

●脳の容量は朝夕刊の500年分以上! あなたは活用できているか?

訓練するという脳の仕組みさえわかれば、処理スピードが圧倒的に速いコンピューターなら、赤ん坊ができるようなことを短時間で訓練できることになります。

ちなみに電気的信号の伝達スピードが、秒速約120mの脳に対して、コンピューターは30万㎞と、脳よりも250万倍も速いですから、たとえば人間50年の訓練なら、コンピューターではわずか11分以内でできてしまうわけです。

ついでにここで少しだけコンピューター用語を使うことを許してもらって、あなたの脳の容量がどれだけあるか、そしてChatGPTにどれだけの情報を学ばせたか、計算してその量を実感してもらおうと思います。

コンピューターではアルファベットや数字、ひらがなの1文字分は8個の、漢字なら16個の半導体メモリーを使います。画像の場合はもっと多く使います。そこで1文字分の半導体8個を1バイトという単位で呼んでいます。

人間の大脳には125兆個の半導体があることになりますから、これは約15兆バイトです。日経、読売、朝日、毎日など一般の新聞で、文字・画像すべて含めて、1社の朝夕刊1日分が最大でも8000万バイト以内です。その1年分365倍で約300億バイト、100年分でやっと3兆バイトですから、15兆バイトもある大脳には500年分以上もの朝夕刊を収納する容量があるということです。

ChatGPTの無料版は15兆バイトの資料を当たって、その中から5750億バイト分の資料を選んで事前学習させていますから、500年分の新聞資料相当の情報の中から選んだ19年分の情報を学ばせていることになります。

あなたがたとえ朝夕6日分の新聞を隅から隅まで1日かかりきりで読み、脳にどんどん詰め込んでいけたとしても、人生80年かかります。この脳の容量を勘案して、あなたは日頃からどれほど脳をお使いでしょうか。ガラ空きではないですか。失礼しました。そのままではもったいないということです。もっと使ってください。

次章ではAIにできないことをまとめますが、AIには人間の貴重な能力である考えることや真の創造力、判断力などまだまだ多くの分野のことができません。だからこそ、突入したAI世紀こそそのもったいない頭脳をフルに活用できる一大チャンスなのです。

さらに世界各界の第一人者も当初のガラ空きの状態から、その活躍に至る過程で脳の神経細胞のネットワークを駆使しながら埋めていった様子を第4章以降に展開していきますので、大いに参考にしてください。

●眼と耳から入る情報量は94%。コンピューターはこのふたつを備えた

この特徴学習技術により、コンピューターは人間並み以上に対象を認識する眼と耳を持つようになりました。

人間の五感による知覚の割合は、科学的な分析の結果、視覚83%、聴覚11%、嗅覚(きゅうかく)3・5%、触覚1・5%、味覚は1%だそうで、そのうち「眼」と「耳」と合わせて94%にも及びます。あなたも日常の体験からこれらの値に納得されると思います。

今や、人間が知覚する94%をコンピューターが認識できるようになったということは、これまで人間が「眼」と「耳」で認識していた仕事や作業の多くが、AIにできるということです。

特に83%の情報量を受け持っている「眼」が働く領域では、眼による認識が必要だからこそこれまで人間がはりついていたわけで、農業、林業、水産業、製造業、建設業、商業、サービス業など第一次、第二次、第三次と、すべての産業にわたる現場において、この特徴学習技術で代替できる応用分野は無限にあるということです。

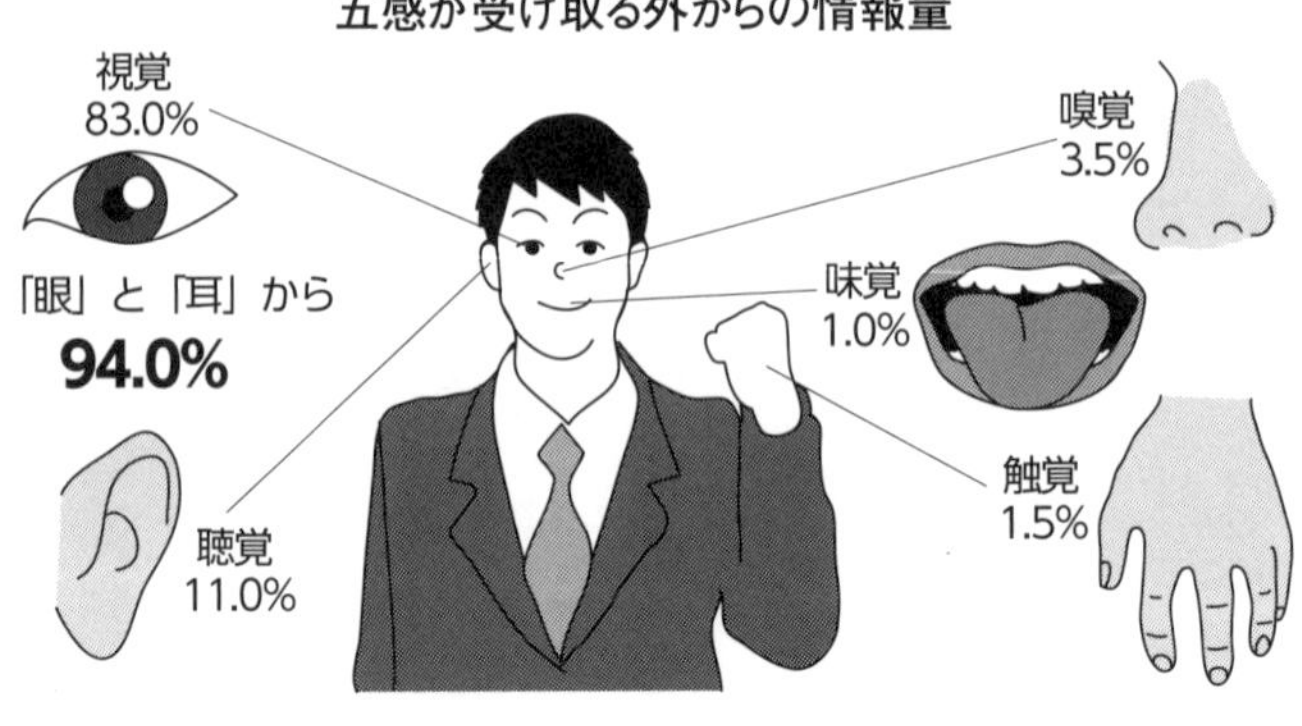

五感が受け取る外からの情報量

わかりやすい身近な例を見れば、サケ、タラ、サバ、イワシ、ニシンなどそれぞれがどんな魚なのか、事前にその特徴をこの技術で学んでおけば、ベルトコンベア上に流れてくる捕れたばかりのこれらの魚を自動で選別できるということです。

すでに漁港の作業場で１００万枚の画像を学ばせたＡＩが稼働（かどう）しています。

また工場などの現場でベルト上にのって流れてくる製品や商品などのキズの発見や不良品の選別・排除なども、これと同じで、ＡＩがすでに稼働しています。このようにあらゆる仕分け作業でその威力を発揮できることがわかります。

これらの仕分け作業はわかりやすい事例ですが、当事者だからこそ一般には思いもよらない発想による事例がどんどん出てきています。

例えば商品にバーコードがつけられない街のパン屋さんでは、レジの店員はたくさんある商品の値段をすべて覚えなくてはなりませんでした。

そこで全国に３５０のチェーン店を持つあるパン屋さんでは、あらかじめこの技術で商品とその値段を学習させたのです。そしてお客さんが数種類のパンをのせたトレーをレジに差し出すと、そこでスキャンするだけで、あとはスイスイと会計が済んでしまい、これまで待ち行列だったお客の不便を一掃しました。

同じく当事者による発想で、この技術を使っている神社まであります。この大きな神社にはお神札、お守り、絵馬、御朱印帳、祈願札、破魔矢、鏑矢、だるま、などの授与品がそれぞれたくさんあり、それらにはやはりバーコードがつけられないため、全授与品の在庫管理がとても大変だったそうですが、前述のパン屋さんと同様、このソフトを使い始めた結果、すっかり時間も人手もかからなくなったとのことです。

またイタリアの有名なブランドメーカー品の中古買取業界は、偽物の発見にこのＡＩを活用しているといった具合で、この「特徴学習ソフト」は、日常生活の中でいくらでも使い道があると考えられることから、あなたもアイデアを出されてみたらいかがですか。

そして単純な、あるいはつらい仕事や作業を軽減してくれるのですから、ＡＩにできることはＡＩに任せて、今後は第5章以降に説明していく人間にしかできないことに専念していくほうが賢明なのです。

この「特徴学習技術」は、当初からがん細胞の早期発見に使えるのではないかと医療界での取り組みが始まりました。

しかし内視鏡ですでに発生しているがん細胞が見つかっても意味がなく、早期発見にはまだがん細胞にはなっていない予備軍の発見でなければならないわけです。

ということは、実際に健康であったときの細胞が必須であることから、学習するに足るデータがまだ充分にないというのが現状のようで、これが早期がんだと確実にいえるようになるにはもう少し時間がかかると思われます。

さらにこんな活用の仕方もあるというひとつの事例を次に紹介します。

●行方不明になった3歳児をAIによって19年後に発見

ＡＩでこんな使い方もあるのかというめずらしい活用法です。中国で3歳のときに消息を断った一人っ子の息子を探すため、両親は店舗と自宅まで売却して資金を作り、２００1年、写真を持って左腕にホクロがある子どもの特徴を尋ねながら、広東省、福建省、上海、山東省、河北省、北京と３０００㎞探し続けたものの見つからず、19年の歳月が経ってしまいます。

その最後の地、北京で最新の捜査方法を駆使している事務所を訪ね「何か月かかってもいい、とにかくわかったことがあったら連絡を頼みます」といって、数分前に写真を渡した責任者にあいさつをして帰ろうとすると、「どこにいくのですか、もうわかりましたよ。この１００人に当たってみてください」と、コンピューターが1秒もかからずに出したリストを渡されたのです。

行方不明の我が子を探して
訪ね歩いた親のルート

その方法とは、多くの人の幼少のときと、成人になったときの顔写真から、顔の成長パターンを事前にＡＩが学んでいて、それに3歳の子どもの写真をベースに未来の顔を予測したわけです。

これは全国民のあらゆる個人情報を管理している中国ならではの話で、その個人情報と照合した結果、本人である可能性の高い１００人をその中からＡＩが瞬時に選出したというわけです。

その後、親は1か月半で１００人全員と接触。その中で、一重まぶた・左腕にほくろ・生い立ちもすべて一緒で、全条件に合致する人物はただひとりだけ浮上。そしてＤＮＡ検査の結果、19年前に行方不明になった実の我が息子と判明し、結果、親子が再会する感動のシーンが実現したのでした。

もちろんこれは、あくまでもデータがあればこんなＡＩの使い方もあるという例で、監視社会を勧めているわけではありません。

以上が「特徴学習技術」の画像分析の分野で力を発揮している例ですが、言語分野でこの技術を使い、その発表と同時に世界で爆発的な脚光をあびているのがChatGPTです。

インターネット登場以来のインパクトをもたらすとされるこのChatGPTは、仕事のやり方まで変してしまうほど世界を変えてしまうといわれているものなので、次にひとつの章を設けて説明しますが、その前に同じ言語分析分野で力を発揮している「関連学習技術」について、ここで見てもらいます。

●関連学習技術＝コグニティブ・コンピューティング（ワトソン手法）とは

これは膨大なビッグデータの中で、関連するワード（言葉）を探索し紐(ひも)付けしていくもので、そのルーツは２０１１年、テレビ番組でアメリカのクイズ王を破ったＩＢＭのワトソンと名付けられたコンピューターにあります。ちなみにワトソンとはＩＢＭ創業者の名前です。

このワトソンには事前に、百科事典、辞書、新聞、小説、論文などの文章を2億ページ分も読み込ませてあり、当日の番組でワトソンがやることは、問題文の中にあるワードと関連するワードのある資料をかたっぱしから参照しながら、そのワードとのつながり具合から統計的に正解となる一番高い確率のワードを回答するというものです。

いってみれば、人間は日常に起こる出来事を因果関係でとらえることを主にしているのに対して、このワトソンはビッグデータの中で物事を相関関係でとらえていくということをやっているわけです。

ベストメンバーがそろう東大病院で半年も治療が進まなかった患者さんが2か月で退院となった例は、この「関連学習技術」によるものです。

医師団が当初出した診断は骨髄異形成症候群（こつずいいけいせいしょうこうぐん）の血液がんというもので、その抗がん剤を投与するも、半年経っても一向によくならず、苦戦の中でワトソンの情報を耳にしたのです。

そこで患者の症状と２０００万件以上の医学論文ビッグデータをワトソンに読み込ませ、その関連を紐付けしていった結果、ワトソンは二次性白血病という病名だという判断結果をたったの10分で出したのです。

その後、抗がん剤を変えてわずか2か月で退院した患者の女性は、退院のとき医院長に「先生、私は人工知能は未来のＳＦに出てくるようなものだとばかり思っていました。それが私のところにきてくれたんですね」と話したそうです。

次は新型コロナ禍の中で「なぜの疑問」を解いた例です。

●欧米とアジアで極端な差が出た「新型コロナ死者数」の解明も

2020年の半ば、新型コロナウイルスの論文はまだ少なかったものの、それでも「関連学習技術」を使って20万件以上の論文を入力し、なぜ西欧とアジアにおける死亡率が極端に違うのか、その答えを求めて論文内のワードとの相関関係から、死亡率に関連する資料群をいもづる式に調べていくうち、急に増えてきたのが交差免疫（こうさめんえき）に言及する論文でした。

このことから、それは交差免疫によるものではないかと突き止めていたのがNHKの番組でした。

世界の中でアジアは風邪などコロナに似た季節性コロナの発生地であり、それらが今回の新型コロナに対しても免疫力を作りあげていたとする交差免疫といわれるもので、過去5年間のおける季節性コロナに「感染なし」と「感染あり」の患者の中で、今回重症化した患者の割合は、「感染なし」では28・1％であったのに対して、「感染あり」の割合は4・8％と、著（いちじる）しく差が出たボストン大学医学部の例に辿り着いたのでした。

また予防の分析では関連資料を巡りに巡って、人間には無害の波長223㎚（ナノミリ、1㎚＝0・000001㎜）の紫外線が10秒だけ新型コロナに当たれば、90％は死滅するという資料にも辿り着いていました。

「特徴学習技術」と「関連学習技術」は、いずれもビッグデータを使って学習、推論し判断材料を提供するＡＩという点では同じですが、大脳皮質の層という観点から脳の仕組みに着目し、そこから紐解いた技術は前者です。

　この学習するという観点からわかることは、その材料つまり有用なデータが多ければ多いほど学びが深くなって、どんどん精度が上がり賢くなっていくということです。そこがＡＩの真価を引き出すポイントになります。

　逆にデータがなければ、ＡＩは何もできず、コンピューターはただの箱でしかありません。

　またこのふたつの技術についての話の中では自然言語という言葉がよく使われるのですが、どうして言語に自然がつくのかといいますと、我々が日常的に使っている自然な言語とコンピューター用のプログラミング言語とを区別するためです。

　またＡＩという言葉は、今から65年以上も前の１９５６年、ダートマス会議でArtificial Intelligenceから名付けられたものですが、このＡＩという言葉からは「人間 対 機械」のような人工的なライバルとしての印象を受けがちなため、対立という図式ではなく、あくまでも人間社会をよりよく賢くしていくような両者を統合していくシステムという意味で、同じＡＩでもＩＢＭではAugmented Intelligence（拡張知能）のＡＩを使っています。

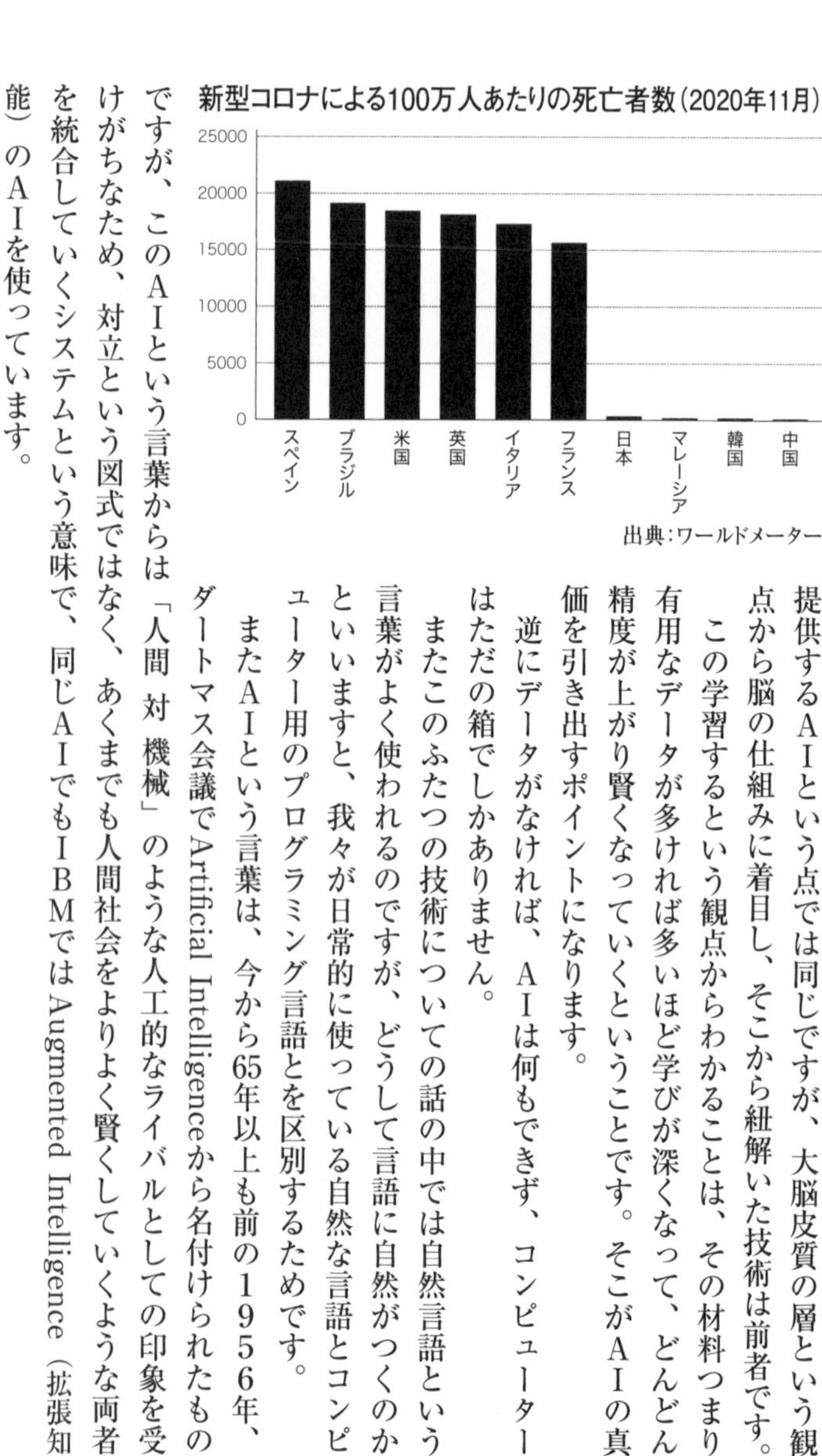

知頭力を鍛える問題(2)

次の三角形の面積はどれだけになりますか。

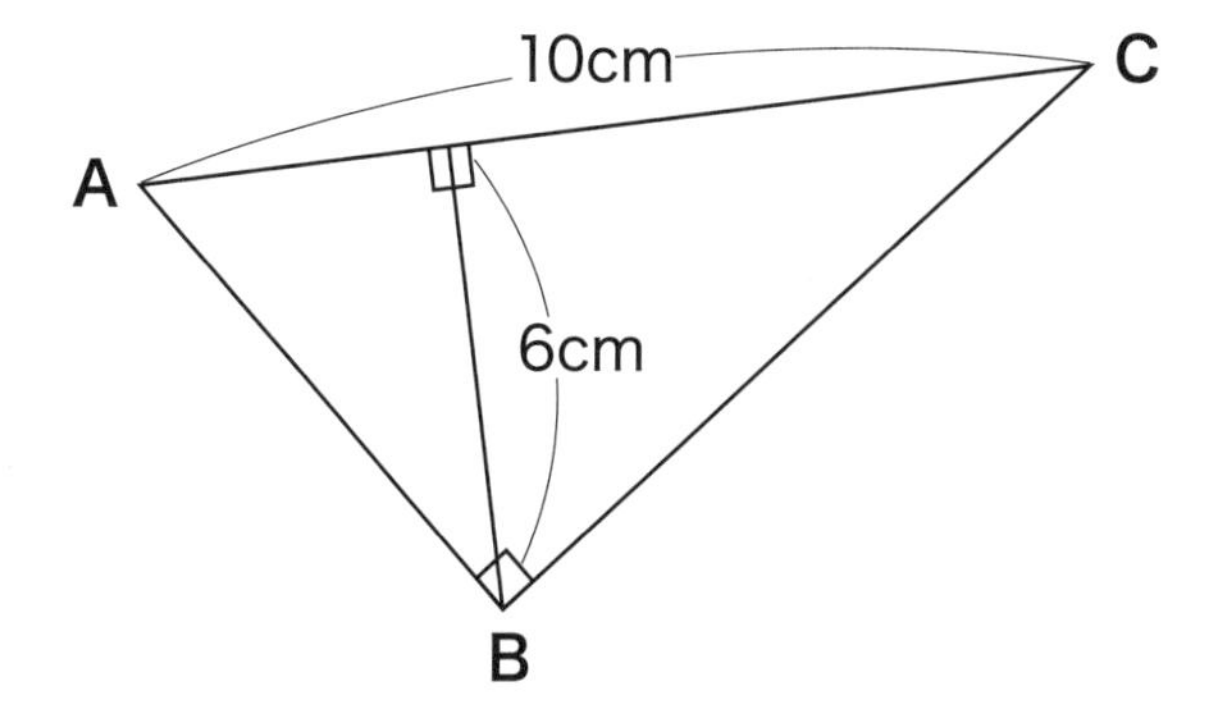

知頭力を鍛える問題(2)の答え

三角形の面積は底辺×高さ÷2と、小学5年で学びますから、何でこんなに易しい問題なのか、となります。そして、どこかおかしなところがあるのではないか、との知頭力を働かせるのです。

この図でおかしなところがあるとすれば、固定的に示されている長さと直角だけです。しかし直角三角形が3つあるものの、この図だけからは、どうしても不明の辺の長さを出すことができません。

そこで直角三角形がたくさんあることに注力してみるのです。次に辺を固定してたくさんできる直角三角形は、との視点から思いつくのは、中学3年で学んだ「三角形の斜辺を直径として、その三角形が円に内接するとき、そのすべての三角形は直角三角形になる」という教えです。

斜辺10cmを直径にして下図のように円を描けば、設問の三角形の6cm部分は半径以上になるため、円からはみ出してしまいます。

ということは、**設問のような直角三角形はできない、つまりあり得ない三角形だ**ということです。

これはアメリカのＩＴ企業の面接試験で出された問題で、どれだけ早くそのことに気づくかが試されるものだったようです。

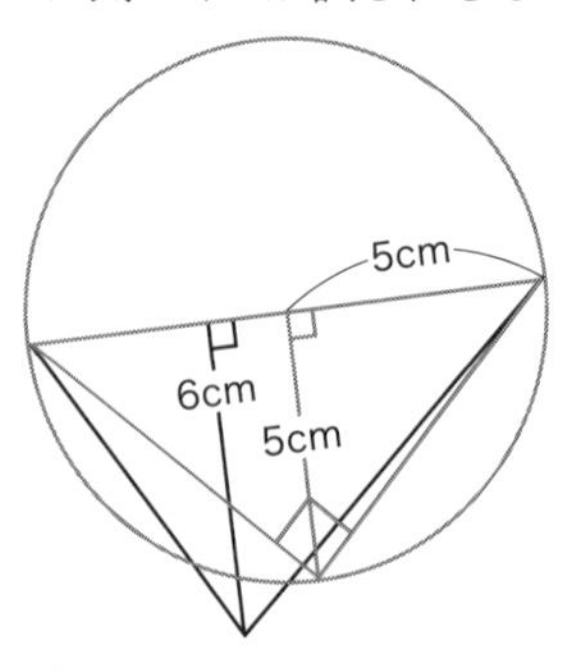

第3章

高学歴エリート職を脅かすAIが坂本龍馬には勝てないわけ

●ＡＩの挙動を危惧する識者たち

ＡＩのことでアメリカ大統領が有識者会議を招集したり、またＧ７会議の主要な６つの議題のひとつに挙がったり、あるいはＡＩ開発社の代表が急遽日本の首相と直接面談するなどということは、いまだかつてなかったことです。

まさに１００年に１度あるかどうかというＡＩ世紀に突入したことが、はっきりとわかるそのきっかけは、それを体験した誰もがまるで人間そのものとの印象づけられたChatGPTによるものでした。

それを開発した当事者トップを含めた有識者たちの、今のうちに国家レベルで開発や使用のルールを決めておかないと大変なことになるという訴えが国家の行政にまでインパクトをあたえることになったわけです。

このまま競争開発を放置すれば、個人情報や著作権の問題どころではなくなり、まさに人類滅亡の危機に直面する開発にまで進むことが、次のような開発当事者や関連企業のトップ、あるいは科学者たちの発言からよくわかります。

・「ＡＩの潜在的恩恵はとてつもなく大きい。だからＡＩの開発は進めてゆく必要がありますが、危険とまさに隣り合わせであることを心にとめておかなくてはならない。

私は、ＡＩが完全に人間の代わりになるのではないかと恐れている。気がかりなのは、ＡＩの性能が急速に上がって、自ら進化を始めてしまうこと。

将来、AIは自分自身の意志を持ち、私たちと対立するようになるかもしれない。完全な人工知能の開発は、人類の終焉（しゅうえん）をもたらす可能性がある。超知能を持つAIの到来は、人類史上、最善の出来事になるか、または最悪の出来事になるだろう」（天才物理学者・スティーヴン・ホーキング）

・「これは恐ろしいほどよくできている。危険なほど優秀なAIがすぐそこに迫っている。AIによって人類は悪魔を呼び出そうとしている。人類は悪魔を操ることができると確信しているようだが、実際にはそれは不可能だ。AIが、不死身の独裁者を作り上げるために使われ、最終的にはその独裁者により人間が滅ぼされてしまう可能性がある」（イーロン・マスク／テスラCEO）

・「コンピューターが人間と同じように文章を読んで理解できるようになったとき、とてつもない事態を迎えることになります。AIの暴走は核戦争より危険かもしれない」（ビル・ゲイツ／マイクロソフト創業者）

トロント大学名誉教授のジェフリー・ヒントン博士

・「新しい技術は恐怖と興奮をもたらす。ChatGPTは序章にすぎず、我々の技術はまだその段階。このあとすごいことが起きる。AIが人類を滅亡させる可能性は否定できない」（サム・アルトマン／ChatGPTを開発したオープンAI社CEO）

・「AIは私が思っている以上に賢いと気づき驚いた。人間より賢いAIを開発したら人類の脅威になる。政府は企業にＡＩの制御不能を防ぐために人材と資金を投入するよう促すべきだ」（２００６年、世界ではじめてディープラーニングの名前で論文を発表したＡＩのゴッドファーザー、ジェフリー・ヒントン博士）

・「ＡＩの究極の進化形とされるのが、ＡＧＩ（Artificial General Intelligence、汎用人工知能）と呼ばれるもので、今後の技術革新によって意識を持ち、自己改良が可能なので、理論的には人間を超えるところまで実現されることが考えられる」（『フォーブス』誌）

●ＡＩが暴走するかどうかは、人間しだい

今のところＡＩ自身は善悪もわからず欲も持たない、まったくの無機物マシンです。だから善いことも悪いこともＡＩ自身が自覚してやるわけではなく、人間の意の赴くままに動くだけで、だから悪いことをするとすれば、それはＡＩではなく人間がするわけです。

しかしこのずっと先で、もしもＡＩが独自に自律するようなときがきたとします。そのときＡＩが人間を敵視したり殺戮に向かったりするようになるかどうか。でもよく考えれば、その自律するきっかけを作るのも人間なのです。そのようなＡＩを作り、仕組みに持っていく一番はじめのきっかけを担っているのは、まさに人間そのものだということです。

だから詰まるところＡＩが悪いことをするようになるのならば、最終的にその起点となる大本は人間だというところに行き着くわけです。

カラーテレビからモノクロテレビへ、またスマートフォンからガラケーに戻る人はいないように、

人間は早くて安くて楽になり、便利な生活のほうに向かいます。その流れに沿うテクノロジーの進化は止められません。

したがってＡＩとの共生の道を進む社会をしっかりと築くためには、ＡＩが暴走して制御不能にならないよう、前もって準備をしたあとでの開発が必須なことから、今回は世界主要国レベルでの規制に取り組んでいることになります。

改めて考えれば、この世で人間を作ったのは、意志も設計図も持たない自然だということです。その自然が作ることができたことを、知恵のある高等な人間ができないということはありません。だから時間はかかるかもしれませんが、いずれの日にか、生身の人間そのもの、あるいはそれ以上の能力を持つ人造人間を作ることは可能でしょう。

しかしそんな人造人間を作るとしたら何のためにするのか、いずれにしても人間と同じものを作る必要性はどこにもないのではと筆者は考えます。

またＡＩは、殺戮だけを目的とする核兵器とはまったく違います。発表からたったの2か月でユーザーが1億人に達したことからも、それだけでＡＩは人間の有益な補助役としてその無限の可能性を示していることの証です。

そのこともあってChatGPTのあと、画像や音声を生成したり、その他ＧＰＴとコラボしたソフトが次々と市場に出てきました。以降これらのソフトを総称して生成ＡＩと呼ぶことにして、ChatGPTについてはそのままの呼称で続けます。

●ChatGPTで、何がどこまでできるか

読者の皆さんの中には、まだChatGPTを体験されていない方たちもいらっしゃるかもしれないので、サンプルをひとつ見てもらいます。

まず入力にはスマートフォンまたはパソコンを使います。今回ChatGPTの画面に、「日本が失われた30年から脱却して、世界の中でさらに発展していくにはどうしたらいいですか」と質問を入力したら、瞬時に次のような回答が返ってきました。

「日本が失われた30年から脱却して、世界の中でさらに発展していくためには、以下のような取り組みが必要です。

1. イノベーションへの投資：日本企業は、世界でも高い技術力を持っていますが、革新的な発想に欠ける傾向があります。イノベーションへの投資を増やし、新たな技術やビジネスモデルを開発することで、世界的に競争力の高い企業を育てることができます。

2. 外国人材の受け入れ：グローバルなビジネスを展開するためには、外国人材を積極的に受け入れ、多様な文化や言語に対応することが必要です。また、留学生の受け入れや就労環境の改善なども必要です。

3. 持続可能な社会の実現：環境問題やエネルギー問題は、世界的に重要な課題です。日本は、再生可能エネルギーや省エネルギー技術の開発、低炭素社会の実現など、持続可能な社会の実現に積極的に取り組むことが必要です。

4. 人口減少問題への対応：日本の人口は減少傾向にあり、労働力人口も減少しています。このた

め、高齢化社会に対応するために、生産性の向上や働き方改革、外国人材の受け入れなど、さまざまな対策が必要です。

5．外交・安全保障の強化：世界的な問題に対応するために、外交・安全保障の強化が必要です。特に、アジア太平洋地域における地政学的な環境の変化に対応するために、米国との協力強化やアジア諸国との関係強化などが必要です。

これらの取り組みを進めることで、日本は世界の中でより発展していくことができます。ただし、これらの取り組みは容易ではなく、政府・企業・個人の協力が必要となります。長期的な視野に立って継続することが何よりも大切です」

と、まさにそこにまるで時事問題に長けた人間がいるかのごとく、レイアウトも読み易く、しかもホットな題材も盛り込み、流暢な表現で回答してきました。

そこで続けて、

「このことを小学生でもわかるように説明できますか」

と入力しますと、

「日本が失われた30年から脱却して、世界でさらに発展するためには、次のようなことが大切です。

1．新しいアイデアを出すことが大切です。これには、新しい技術やビジネスの仕方を考えることが必要です。

2．日本は外国人の方を受け入れることで、多様な文化や言語に対応し、グローバルなビジネスを展開することができます。

3. 環境問題やエネルギー問題も、世界的に重要な課題です。再生可能エネルギーなど、環境に優しい技術を開発して、地球を守ることが大切です。
4. 人口が減ってしまう問題もあります。働く人たちがもっと効率よく働けるように、働き方を改善することや、外国の人たちを呼んで、力を合わせることが大切です。
5. 外国との友好関係を深めることも大切です。アジアやアメリカとの友好関係を深めて、日本を守っていくことが大切です。

これらのことをやっていくと、日本はもっと発展することができます。でも、それにはみんなで協力してがんばることが大切です。長い時間がかかるかもしれないけれど、あきらめずにがんばっていこうね」

と、これまたそこに小学校の先生がいるような応答が返ってきました。これまでコンピューターには意味がわからないとされてきましたが、「大阪弁で答えてくれ」といえば大阪弁で難なく回答し、もはや日常生活には困らない程度にまで意味がわかっていると考えていいレベルになっています。たしかに人間が意味を理解するまでの過程を考えれば、そこに学習があったことになり、これはChatGPTと同じなわけです。

このように質問すれば、検索と違い、質問に最後の解答まで答えてくれます。そこでChatGPTでできる主なことをまとめてみますと、次のように実に何でもできるという印象です。

- **相談**（**法律、規約、手続き、悩み……**）
- **質問**（**疑問、知りたいこと、わからないこと……**）

- **下書き、草案、たたき台の作成**（スピーチ、原稿、提案……）
- **表にする、要約する、まとめる**（マニュアル、規約……）
- **翻訳、添削、作文、作詞、作曲**
- **アイデア出し**（企画案、キャッチコピー、旅行プラン……）
- **プログラミングする**（言葉の入力で、プログラム言語に書き換え・10言語）

２０２２年11月に発表されたChatGPTは無料であり、相談などでは人に知られたくないことや、人には恥ずかしくてきそびれるようなことまで、気楽にきけることが利用者を広げている理由のひとつになっているようです。

そこで利用上の特長や留意するところを挙げますと、

- むちゃぶりをきいてくれ、どんな質問にも応えようとする。だからまだ間違いもある。２０２３年3月にバージョンアップされた有料版ChatGPT Plusは月20ドルで、間違いが激減。
- 回答の後でさらに質問を続けていけば、問題の深掘りができる。回答の質を高めるには、具体的な前提条件を増やせばいい。欠けている前提条件は何かを逆質問するのも手。自分の出した回答を点検させる指示を出すと、さらに洗練された回答を出す。
- 学習していくので、ドンドン賢くなっていく。回答画面に「いいね」「悪い」の評価付け窓があり、これでも学んでいる。
- こちらの理解レベルに準じての質疑応答は最適な教育の場そのもの。ベストな家庭教師。
- 各自独自に開発しているプログラムにChatGPTを組み込めるため、応用して使える。

目の前に、これだけのことをやってくれるＡＩ人間が出現するわけですから、２０２３年2月の『フォーブス』誌が「確実にいえることは、ＡＩが人々の仕事のやり方を完全に変えてしまうということだ」といっていることがよくわかります。

ここからＡＩが使える人によって、ＡＩが使えない人の仕事がなくなってくることもよくわかると思います。そこで激震が襲ってくるのは、教育界とホワイトカラーの中の高学歴のエリート職分野ということが以下のように予想されます。

●教育界が激変する

まずは学びの世界である教育界です。わからないこと、知りたいことなどの疑問に対して、どこまでも深掘りして答えまで独自に辿り着けるチャットプロセスは、学校で授業内容がわかる生徒もわからない生徒も、集団で一律に学ぶ現在の環境とはまったく違い、まさに個人の理解度に沿った形で学べる家庭教師そのものです。

したがって現状の教室での授業だけを取り上げれば、本人の向学意欲を満たし、あるいは遅れを取り戻せる分野の問題に取り組むことができる点で大いに違いが出ます。

だからチャットのほうが、ずっと学習効果があり、またコストもかからないことから、学校教育の制度も見直されるようになるのではないかと予想されます。

一方で、このチャット式勉学では思考する能力が削がれるのではないか、との見方も当然出てきます。

読書感想文の宿題を、生徒がChatGPTに書かせたとしたら、たしかにその懸念はもっともです。しかし、生徒が書いた作文をChatGPTに添削させて、その添削が良いと思うかどうかを話し合ったり、さらにAIにはできないような文章にするにはどうしたらよいか、といったことを話し合う方法でAIの活用法を学ばせるとしたら、大いに意味があります。

数日後に返ってくる先生のこれまでの添削と、その場で返ってくるChatGPTの添削とでは、学ぶ鮮度がぜんぜん違うからです。さらにChatGPTは、「なぜ文章を変更したのか」と質問すれば、その理由も丁寧に答えてくれます。

生徒が「なぜ」という探究心を持ってAIに自ら尋ねれば、そこに考える力の刺激を受けて自発性が育ち、逆に思考能力を高めることにつながるのです。

この「なぜ」という疑問を持つことが、このあと第5章と第6章で詳述する「知頭力(ちあたまりょく)」の重要な要素となっていることがわかります。

●AI社会で最も影響を受けるのは高学歴者

「金融は、数学とソフトウエアの時代になった。当社のビジネスモデルは今やGoogleのようだ。2000年に600人いた当社の株式トレーダーは、今や2人しかいない。代わりはAIを使った自動株式売買プログラムだ」

これはハーバード大学が開催したシンポジウムで、世界中から集まった関係者を前に、ゴールドマン・サックスの最高財務責任者・マーティン・チャベスが語った言葉です。

株式トレーダーとは、最適な瞬間に最適な価格で株の売買をおこなうスタッフのことで、ゴールドマンの彼らは世界各地のトップ大学を卒業したエリートたちでした。

ＡＩの高度な言語処理能力を利用し、アナリストのリポートなどを随時チェック、そこに現れる微妙な表現の変化と事前にビッグデータで学習していた彼らの言動とを照合して、アナリストが株式銘柄への評価を「売り推奨」から「買い推奨」に変更する兆候などを、瞬時に察知するというものです。

筋肉に代わる動力の出現が産業革命だったのに対して、頭脳に代わるＡＩの出現が知能革命ということになりますから、当然、知能を多く使わねばならない仕事をしているホワイトカラー、特に高学歴でエリートといわれる人たちの仕事ほどＡＩに代替されやすいことになります。

それは弁護士や公認会計士、司法書士などをはじめとする一般に「士業」といわれる人たち、さらには医師、大学教授などの仕事です。

では、どんなところでＡＩが代替するのか、それを知るにはこの人たちの職の成り立ちを考えてみればわかってきます。

彼らはまずその資格を取得するために、あらかじめ刑法、民法、商法、税法といった諸々の法律や規定、あるいは自分の仕事に関係する論文、さらに判例や事例あるいは症例、そして専門書などを懸命に勉強し、そのうえ、資格取得後も常に学びながら知識を蓄えていかなければなりません。

そしてその学んだ知識を武器に、持ち込まれた案件の課題解決に取り組んでいるわけです。

彼らの勉強に必要な論文などの資料は、すでにコンピューターに収められているか、または収め

エリート職ほど代替される中身が多い

人間 ➡	専門書・事例・経験 など	から学習
AI	ビッグデータ	から学習
弁護士・検察官・裁判官・司法書士弁理士・行政書士	刑法、民法判例、事例 ➡ 案件への回答	コミュニケーションやアフターケア
公認会計士・税理士・診断士	商法、事例 ➡ 案件への回答	コミュニケーションやアフターケア
医師	論文、症例 ➡ 診断と対比	コミュニケーションやアフターケア
大学教授・専門職	論文・専門書 ➡ 各仕事	コミュニケーションやアフターケア

学習・調査が代替される

られる状態のコード化されているものが多く、ビッグデータとしてすぐに使えます。

　そこで先の東大病院やChatGPTの例からわかるように、これらの資料をあらかじめＡＩが学習しているわけですから、人間が学習し調査する部分は大幅に削減されることになります。

　もちろん専門職ですから、人間はベースとなる知識を学習していなければなりませんが、ＡＩの学習量を見れば何千万という専門書や論文の数であり、またその内容も一字一句記憶していて、いつでも完璧に取り出せるわけですから、人間はとてもＡＩには太刀（たち）打ちできません。

　そこで人間にはよい判断が下せるような段取りが必要になります。ChatGPTの場合は質問の仕方次第で回答の精度がまったく違ってきます。

　よい質問とは、ＡＩにどんな人の役割になって回答してほしいか、明確な役割を与えることで、そのためには、はっきりとした質問の意図や詳細な背景、そして入れてほしくない情報や回答の文字数、その他の前提条件を入力することです。また回答を受けて繰り返しその続きの質問ができますから、この深掘りの繰り返し方法でもよい結果が得られるのです。

産業革命のあとでは、もちろん無くなった職も出ましたが、新しい職もその後次々と生まれました。ゴールドマン・サックスの報告によれば、現在の労働人口の60％が、１９４０年には存在しなかった職業に就いている、とのことですが、今回のChatGPTによる知能革命では、すでにプロンプト・エンジニアという新しい職が誕生しています。

このプロンプト・エンジニアとは、よい質問を提案する人のことで、相場の年収が４０００万〜５０００万円。そのスキルを売買するネットサイトまで出ています。

これからは高学歴を必要とした職で弁護士を例にとれば、人間を必要とする仕事の絶対量がＡＩの肩代わりにより減ってきます。だから今まで４人でこなしていた作業は、２人か１人で充分だということになり、さらにまた少子化により案件そのものも減ってきて追い打ちをかけることになりますから、熾烈（しれつ）な競争の世界が予想されます。

●ＩＴとＡＩの得意分野・苦手分野、そして人間にしかできない分野

さて、ここまでＡＩのできることを、ふたつの技術「特徴学習技術」と「関連学習技術」の事例を通して大まかに見てきましたが、これから確実にＡＩと暮らす社会が当たり前になる日がくるということです。

「IT」と「AI」が得意とする分野、苦手とする分野 まとめ

◇**「IT」と「AI」が得意とするプラス分野**

「IT」：記憶力、計算力、検索、スピード

「AI」：画像／音声／言語認識＆関連言語解析
学習・推論・判断材料の提供（ビッグデータがキー）

無機物：死や恐れがない、24時間疲れない

強みが発揮される背景：デジタル

◇**「AI」の弱み、苦手とする分野**

「AI」：「内オデコ」機能がないため、
考えること・真の創造ができない
データがなければ、ただの箱

無機物：意志・やる気・感性・感情がない、笑わない、
酔っぱらわない、価値観・大局観がない、責任を取らない。

IT
AI

前述のように学習量や記憶量において、ＡＩにはかなわないのですから、この分野でＡＩと戦うなどということはやめて、あくまでもよき助手、副操縦士、パートナーという考えでうまく活用し、これからは人間にしかできないことに集中していくことが賢明だということになります。

ＡＩはこのＩＴの中に含まれるのですが、ＩＴそのものをＡＩと混同している報道を見かけます。通常のプログラミングの延長でＡＩといっているのは誤りで、今のところＡＩ、人工知能といえるのはビッグデータを利用した「関連学習技術」と「特徴学習技術」によるコンピューター処理をいいます。

そこで筆者なりに、ＩＴとＡＩの得意とする分野と苦手分野、そしてまだ人間にしかできない分野をまとめてみたのが、ふたつの図表（「『ＩＴ』と『ＡＩ』が得意とする分野、苦手とする分野 まとめ」、「人間だけが持つパワー分野」）です。

人間だけが持つパワー分野

「内オデコ」の力（知頭力）：思考力、創造力、洞察力、決断力、応用力、コミュニケーション、やる気、チャレンジ心、向上心、探究心、好奇心、変革心…

有機物／人間：感性、ハート、明日を思う心、価値観、大局観

感の付く言葉、心の付く言葉、気の付く言葉などが表す「情」

強みが発揮される背景：アナログ

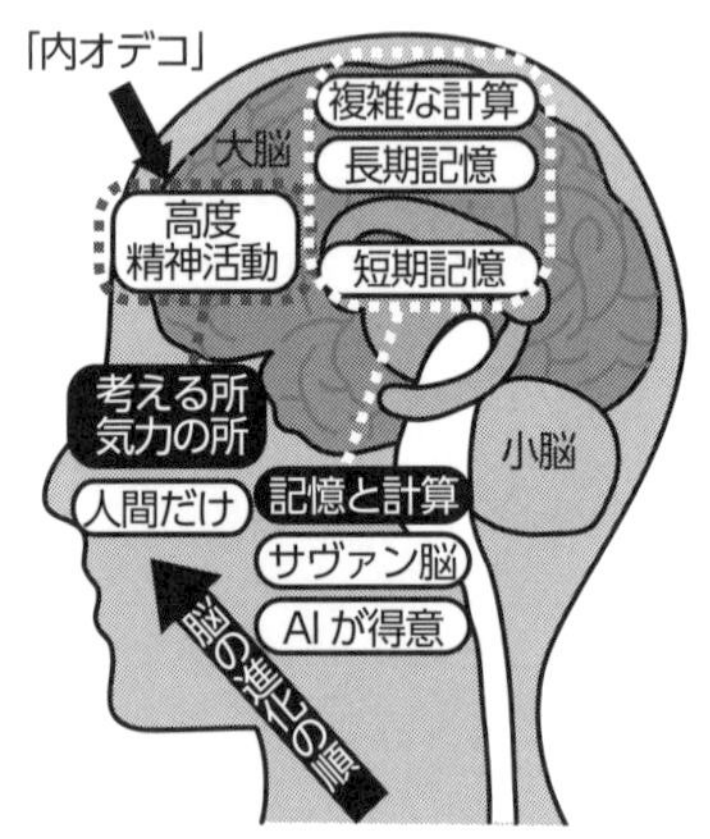

「内オデコ」は人間ならではのパワー分野を担う

脳をお手本にして今日まで辿り着いたＡＩは、脳の発達段階から見れば、ビッグデータに基づく記憶と計算をベースにしたサヴァン脳の域までには達していますが、いまだ「内オデコ」の働きがまったくできないということです。

つまり思考や真の創造、洞察や判断、計画性、感情や行動のコントロール、込み入った

コミュニケーション、やる気やチャレンジなど、思考や創造に代表される「考える力」の世界と、やる気やチャレンジに代表される「気力」の世界においては、ＡＩは太刀打ちできないのです。

この「考える力」と「気力」から成る総合力を、本書では知性・知能・知覚と3つの知を総動員する頭脳の力という意味から、以降、**知頭力**（ちあたまりょく）と呼ぶことにします。その中身である要素については次章以降で詳しく説明します。

過去のデータ処理で信用度までも簡単に出してくれるＡＩによって、銀行の与信を担当している「倍返しだ」の半沢直樹の出番はなくなってしまう一方、フルに思考力を発揮している刑事コロンボは、ＡＩ世紀にはさらに忙しくなるということがわかります。

●AIは「人間・龍馬」にかなわない

ＡＩにはできず人間にしかできないことを随所でやってのけ、世の中に多大な貢献をしてきている人たちがたくさんいます。

そこで、彼らの頭脳の働きを参考にしていただくため、これから追って各章ごとに詳しく見ていきますが、まずはどんなところでＡＩには真似のできないことをやってのけているのか、そこを具体的につかんでいただくため、日本の恩人ともいえる坂本龍馬（さかもとりょうま）を例にとって、以下、史実に基づいて龍馬の生き様を見てもらいます。その中で傍線（ぼうせん）部分はＡＩにはできないのです。

龍馬が17歳で土佐から剣の修行に江戸へ出たその2か月後にペリーの来航があり、品川から浦賀まで50㎞もの道のりを歩いて黒船を見にいったといわれている。弱冠17歳だった龍馬には、防国の念というよりも、好奇心が大きく働いていたと思われます。
アヘン戦争でイギリスに敗れた隣国中国の清が香港の割譲を余儀なくされた中で、その後、龍馬をはじめ幕末の志士たちは自国日本への危機感を募らせていった当時、27歳になった龍馬は、日本の明日を想う使命感が後押ししたと思われる志を立て、お世話になっていた土佐藩からの脱藩を決意し決行します。

その９か月後、福井藩主の松平春嶽の紹介状を持ち、外国人排斥の攘夷運動の中、幕府の開国論者であった勝海舟と談判するため訪ねるも、その見識に感服し、逆に学びの師匠としてその弟子を申し出るにいたったところなど、何が正道なのか、ＡＩにはないそれを見極める価値観が見て取れます。背景には正義感のような感性が大局観として働いています。

また徳川御三家である紀州藩を向こうにまわして、一介の船長だった龍馬が「いろは丸沈没事件」で７万両の賠償金を勝ち取った背景には、当時誰も関心のなかった万国公法を学んでいたからこそで、そこに向学心旺盛だった龍馬の一面もまた垣間見られます。

さらに勝海舟の建言で神戸海軍操練所の設立に当たり、その資金調達で福井藩から５０００両もする額の借り出しや、また敵同士という犬猿の仲だった薩長両藩を仲介しその同盟を成し遂げたのも、やはり使命感から喚起された説得力、交渉力の成せる技でしょう。

そして龍馬の感性がしっかりと出ているところ、それは明治維新の功労藩である薩摩、長州の２藩、このいずれもが自藩を主体に考えていたのに対して、龍馬はあくまでも全藩を対象とした日本という大きな国を念頭に入れて行動しているところです。

土佐藩では武士だけでも18もの階級があるといったがんじがらめの身分制度の武家社会が、農民の働きのうえに乗っかって生活しているそんな中で、伝え聞いたジョン万次郎の身分制度などのないアメリカ社会の話が耳に入り、龍馬の感性に引っかかるのです。

その結果は「日本を今一度、洗濯いたし申し候」という日本全体を思う龍馬の、姉・乙女に宛てた手紙でもわかります。明日の日本を思い、私利私欲のかけらもないのです。現存する乙女への手紙は140通以上もあり、そこには飾らない普通の人間でユーモアに溢れたネアカな龍馬が映し出されています。

さらにまた血を流してまでも、あくまで幕府壊滅を目指していた倒幕派の中にあって、最初から龍馬はただひとり、幕府による国の執権を歴史のある朝廷に戻すという無血の原案を建白書にして、恩義のある土佐藩が被告にならぬよう、藩主の山内容堂から幕府へ提出するという方法、つまりハート、情のこもったやり方で大政奉還の道を作りました。その一方で、新しく誕生する政府には、感性でとらえたジョン万次郎の言葉の中身を加味した船中八策という五箇条の御誓文になる原案までも作ってしまった龍馬には、これら「感」「心」「気」を貫く気力が働いているということです。

AIには代替できない龍馬の活躍

若くして逝った後も、彼の作った土佐商会の船団は岩崎弥太郎に引き継がれ、それがのちの三菱財閥へと発展していく。龍馬のこれら言動に結びつく発想は、ＡＩには決してできないということが、これでよくおわかりになると思います。

ハートを持たないＡＩは人の情などをカバーしきれるものではなく、どんなに優秀なＡＩロボットが相手に土下座して謝罪しても、これは火に油を注ぐようなもので、逆にますます逆鱗に触れることは必定です。

だから高学歴のエリートの働く領域が代替されていくというＡＩ世紀がどんなに進化していっても、ハートを使い、ハートに訴え、ハートで接する職業、仕事、作業は絶対に残るということが、ここからもいえるわけです。

この龍馬の問題解決力といい、草案作りの思考力といい、またここに見た薩長相手の人的マネジメントや交渉力、判断力、さらにはまったく新しい政府を作ってしまうという創造力といい、感性をフルに活かして、龍馬はもっとも重要な国作りの過程で、すでに江戸時代にしてＡＩにもできないダボス会議（「はじめに」で紹介）の項目すべてをひとりで実践してしまっているのです。

そして龍馬の作った新政府用新官制議定書の中の新制度と指導部の青写真を西郷隆盛が見るなり、龍馬に向かって「この指導部の草案の中に、なぜ最大の功労者であるお主の名がないのだ」と問うと、龍馬は「世に生を得るは事を成すに有り。役人になるより、ワシは世界の海援隊でもやりましょうかな」といって、ゆうゆうとその場を去っていったという龍馬の功名心のかけらも見られない清々しい生き方に、海援隊の隊旗を会社のロゴにまでしてしまったソフトバンクの孫正義社長をはじめ、多くの人々が感動し、そしてまた勇気とロマンをもらって、まさにその生き様は現代の世にまで影響を与え引き継がれているのです。

龍馬がいなかったら亀山社中（かめやましゃちゅう）・海援隊もなく、したがってそれを引き継いだ岩崎弥太郎の海運業もなければ、今日の三菱グループも存在しなかったことになります。

明治維新の立役者として要職に名を連（つら）ねることなどには目もくれず、お互いの国の繁栄に向け交易を盛んにしていこうと、壮大なビジョンを持って独り世界に乗り出そうとしていた龍馬。

昭和の世界大戦へと日本を不幸に導いたリーダーたちとは対照的に、脱藩者で権力の後ろ盾も何もなく、30歳そこそこで日本を近代国家へとお膳立てしたこの最大の功労者・龍馬が、なぜ日本のお札の肖像にならないのか、敷かれたレールに乗っかって首相になった伊藤博文（いとうひろぶみ）よりも、よほど肖像になるに値する功労者です。

偽札防止となるような緻密な龍馬の画像がないという理由ならば、それこそＡＩの活用など、人知を出して工夫すればばと思うのは筆者だけでしょうか。

●人間はアナログの生き物

さて見ていただいたように、龍馬が活躍した主要な場面で傍線を引いたこれら「内オデコ」の働きは、ことごとく今のＡＩにはできないという決定的な差があることがわかります。

そしてまたこれらは、使命感が90点とか好奇心が60点とか、あるいは喜びが96点とか、測ることのできる数字・デジタルにはならないものばかりで、ここから「人間はアナログ」の生き物だということもよくわかると思います。

ＡＩには喜怒哀楽（きどあいらく）という感性がありませんから、酔っ払って愚痴をこぼすこともできなければ、笑ったりまた涙を流す情動も起きません。

また、あの野球の神様、長嶋茂雄（ながしましげお）監督が少年たちを前に野球教室で語った「球がこうスッとくるだろ、そこをグゥーッと構えて腰をガッとする、あとはバァッといってガーンと打つんだ」は、同じ人間でもつかみきれない内容ですが、ＡＩには絶対に真似のできない感性の世界から絞り出される言葉ということです。

そして価値観を持たないＡＩは、人間社会において重要な新しい問題の発見や将来の夢を持ったり、目標の設定などとてもできないのです。

さらにこのあとの章で説明しますが、重要な思考力や真の創造力、また好奇心や探究心などの源流ともなる「疑問」というものも、ＡＩは自ら持つことができません。

この先ＡＩが進化して自ら「疑問」を発するときがくるとすれば、そのときはじめてＡＩは人間並みの最も高度な精神活動能力を持ったといえると筆者は考えています。

さてサヴァンの世界、そしてＡＩを代表する「特徴学習技術」と「関連学習技術」を通し、ここまででわかった今日のＡＩにはできない重要な人間脳の働きは、「内オデコ」にある「考える力」と「気力」、つまり「知頭力」に代表されることがわかりました。

ではこれからのＡＩ世紀を生きていくうえで、その「知頭力」を、どう鍛（きた）え、身につけていけばいいのか、いよいよ次章から核心に入ってまいります。

知頭力を鍛える問題(3)

長方形ABCDの周の長さは何cmですか。ただし、グレーの部分は正方形です。

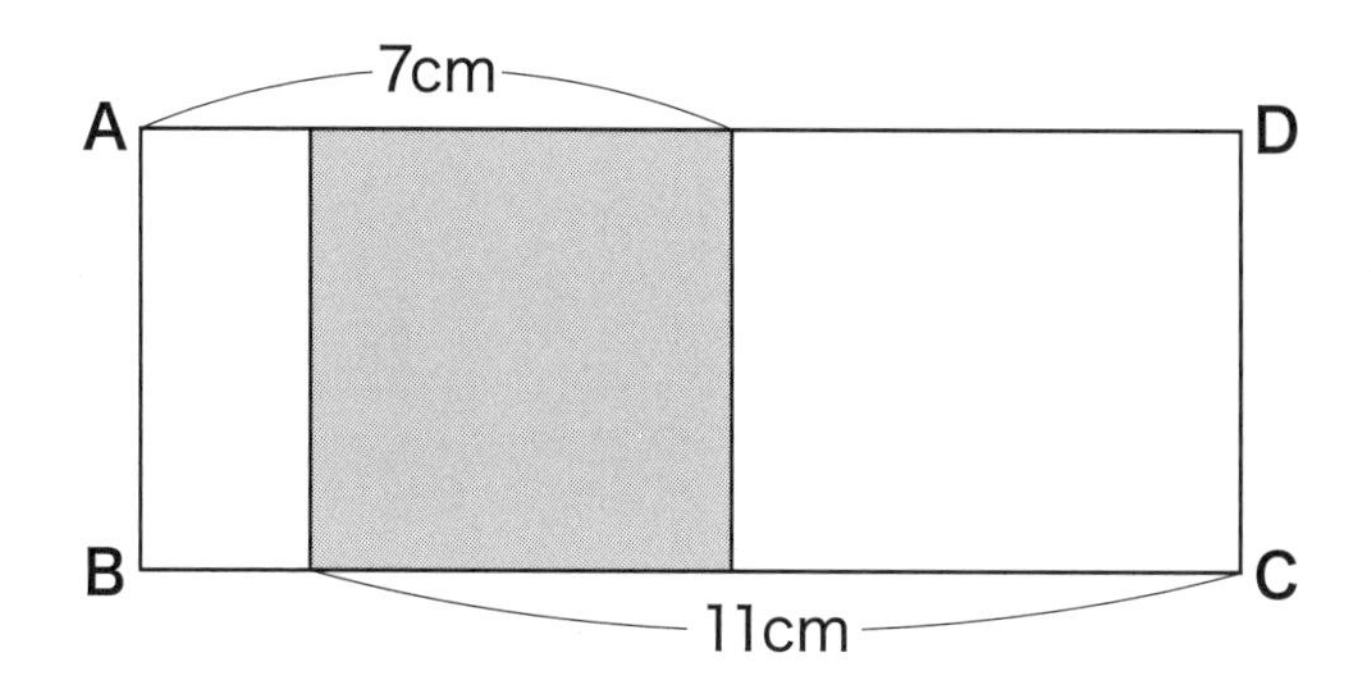

知頭力を鍛える問題(3)の答え

この問題で横幅のほうには数値があるものの、縦は不明になっていて、その中で全周囲の長さをきいています。

ということは、縦の数値がわからなくても解けますよ、といっていることなんだと、知頭力を働かせばいいのです。「はじめに」の問題と同様に、下の11cmのaの部分とbの部分の境目を折り曲げて、図のように移動すれば、横と縦の長さは7＋11＝18cmになりますから、**周の長さはその2倍の36cm**と出ます。やはり方程式などを知らない小学生のほうが早く解きます。

もちろん方程式を使って、正方形の辺の長さをXとすれば、長方形の縦横の長さ＝(7＋11－X)＋X、結果18cmと出ます。では正方形の長さはどうなんだ、との疑問が出ると思いますが、Xは何でもいいということで、もしも正方形の辺の値を左に隙間のあるこの図から出せということなら、整数値として7cmよりも少ない1cmから6cmまでの6つの値が取れるということです。

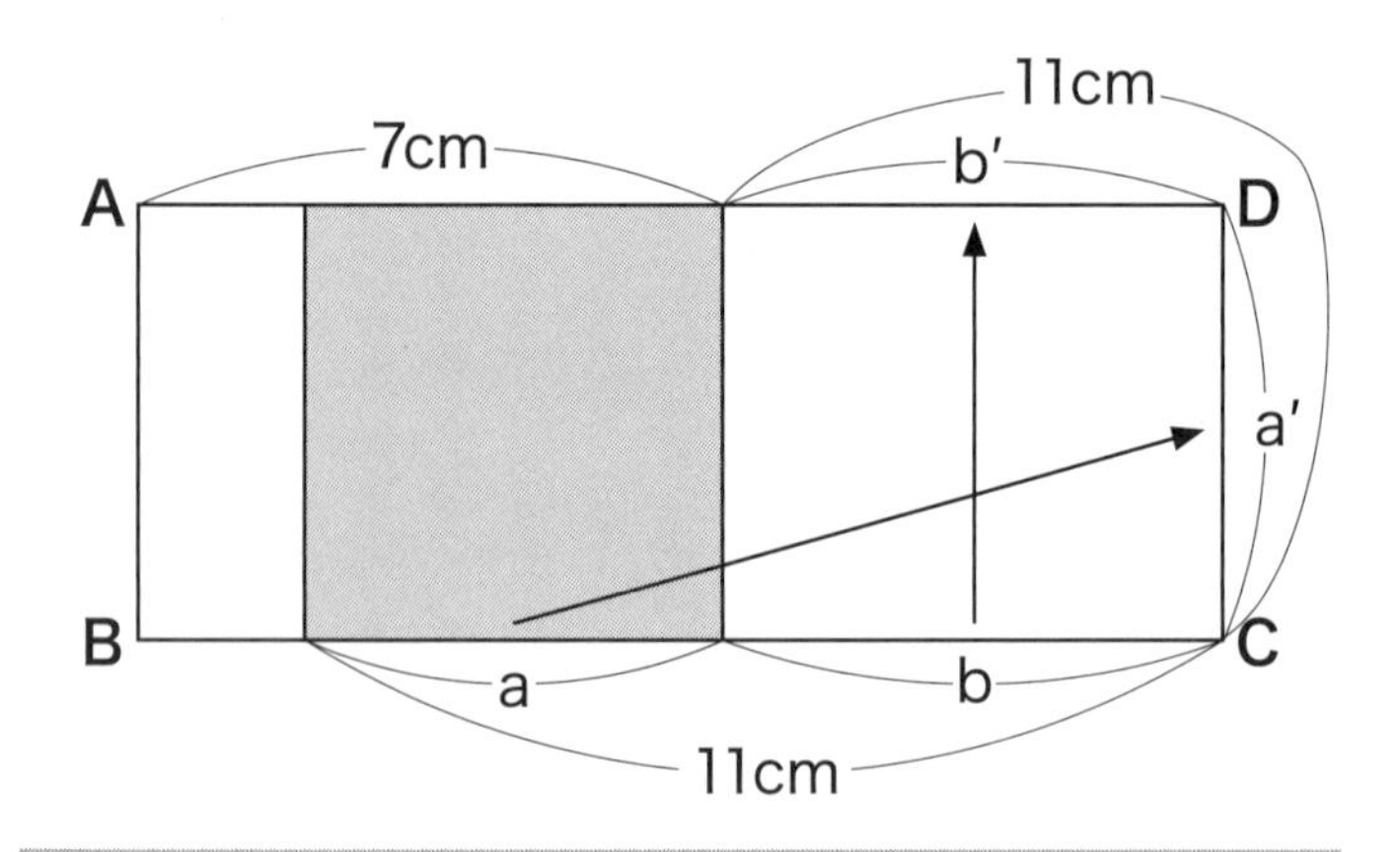

第4章

AIもかなわない
世に認められている人々は、
どこが違うのか

●偉大な起業家たちに共通する点

AIもかなわないような優れた「考える力」と「気力」、つまり「知頭力（ちあたまりょく）」はどうすれば鍛（きた）え培（つちか）うことができるのか、それには世の中の模範となるような、世に認められている多くの先人たち、彼らの例を調べれば自ずとわかってくるのではないか、ということから、それを調べていくうちに確かなことがわかってきたのです。

　ではここで「考える」という力を培うためにも、あなたに問題です。次にあげたリストで第1グループから第12グループまでの人たちは、この調査の対象になるような超有名人たちですが、まずは、この中で知っている名前の人は何人いるか数えてください。それからもうひとつ、それぞれ各グループごとに、彼らに共通する業種は何か答えてください。

　このリストを見て、「あほかっ、聞いたこともない名の外人ばかりで、そんなのわかるわけがない」と、ここでもまたそんな声が上がるかもしれませんが、それでも中には聞き覚えのある名前があるはずです。想像でもいいですから、各グループごとに1〜2分は考えてみてください。

　全然わからないという若い読者の方なら、あとでインターネット検索で調べてもらえれば、その著名ぶりがよくわかるはずです。そこでは極貧の家庭で幼少期を過ごした実業界の人たちが多いこともわかると思います。

1. マックス・ファクター、ヘレナ・ルビンシュタイン、エスティ・ローダー、チャールズ・レブソン

2. ラルフ・ローレン、リーバイ・ストラウス、ドナルド・フィッシャー
3. アドルフ・ズーカー、ワーナー・ブラザーズ、ウィリアム・フォックス、ルイス・メイヤー、カール・レムリ、ハリー・コーン
4. デービット・サーノフ、ウィリアム・ペイリー、レオナード・ゴールデンセン、ポール・ロイター、マイケル・ブルームバーグ
5. ジョセフ・ピューリッツアー、アーサー・ザルツバーガー、ウォーレン・フィリップス、ヘンリー・ルース、サミュエル・ニューハウス
6. マーカス・ゴールドマン、ジョージ・ウォーバーグ、ジョージ・ソロス
7. マーカス・サミュエル、アンドレ・シトロエン、カミロ・オリベッティ、アイザック・シンガー
8. マイケル・デル、ラリー・エリソン、ラリー・ペイジ、セルゲイ・ブリン、マーク・ザッカーバーグ、スティーブ・バルマー、アンディ・グローブ、アーサー・レビンソン
9. アルベルト・アインシュタイン、ジークムント・フロイト、フォン・ノイマン、ロバート・オッペンハイマー、セルマン・ワクスマン、ピーター・ドラッカー、アルビン・トフラー、エズラ・ヴォーゲル、ハーマン・カーン、ユヴァル・ハラリ
10. ジョージ・ガーシュイン、レナード・バーンスタイン、ブルーノ・ワルター、アルトゥール・ルービンシュタイン、メンデルスゾーン
11. チャールズ・チャップリン、ダスティン・ホフマン、ウディ・アレン、ハリソン・フォード、

カーク・ダグラス、ナタリー・ポートマン、ウィノナ・ライダー
12．ベニー・グッドマン、ボブ・ディラン、ポール・サイモン、アート・ガーファンクル、ビリー・ジョエル、ジーン・シモンズ

いかがですか。「いやはや、やたらに多いカタカナの横文字は見ているだけで疲れるぅ〜」といわないでください。この先に重要なことが待ち受けているのです。

ではグループごとの解答です。1．化粧品、2．アパレル、3．映画会社、4．報道／通信、5．新聞／雑誌、6．金融、7．実業、8．IT企業、9．学者、10．クラシック音楽、11．俳優、12．ミュージシャン　です。

この中のグループ1〜8の太文字は創業者で、実に多くの世界的な企業を生み、築きあげた人たちです。アメリカの3大テレビネットワークを作ったのも、またハリウッドの6大映画会社を作ったのも、この人たちです。それぞれに関係する企業名やその他の情報は127〜128ページに載せてあります。

それから最初の質問で、あなたが知っている名前の人数をきいたのは、あなたにひとりひとりしっかりと名前を見てもらうためでした。

さて、この問題は単にこれだけのために出したのではありません。次が大事な目的のための質問なのです。

それぞれ1から12グループまで、その活躍分野は多岐にわたっていることを念頭にして、ではこ

れだけ大勢の彼ら全員に共通するものは何でしょうか。

この他に、米大統領のアブラハム・リンカーンや大統領補佐官で国際政治学者だったヘンリー・キッシンジャー、映画監督・スティーブン・スピルバーグ、哲学者で革命家のカール・マルクス、マクドナルドを育てたレイ・クロック、スターバックス・コーヒーを育てたハワード・シュルツそしてChatGPTのサム・アルトマンにも、この共通点があるのですが、ヒントとして、リンカーンの名前のアブラハムといったらわかるでしょうか。

世界の人口の中で0・2%しかいないのに、2019年『フォーブス』誌の世界長者番付では、上位10人中の4人の40%、上位20人中の30%、上位50人中の20%、上位200人中の19%も、この民がいるといえば、もうわかると思います。そうです。その共通点はユダヤ人です。アブラハムは啓典の民の始祖ですね。

しかしユダヤ人という種族の民族がいるわけではなく、ユダヤ人とはユダヤ教の信者、1世、2世、3世たちのことです。

でも世界のたった0・2%しかいない人口で、資産トップ200人のうち2割も占めるとは、これは異常ともいえる数字ですが、さらに驚くべき数字があるのです。

●ノーベル賞受賞者数も半端じゃない

なぜ冒頭で問題のリストを出したのか。本来の意図はもう少し先でわかってきます。

まず彼らの活躍分野が多岐にわたっていること、その中で一段と目立っているのが頭脳の働きを表彰するノーベル賞受賞者の割合で、以下は賞が始まった1901年から2023年までの実績です。

物理　26％（世界224人中の57人）

化学　18％（世界194人中の35人）

医学　25％（世界226人中の57人）

経済　33％（世界92人中の30人）

たまげた数字です！　1460万人と、世界のわずか0・2％しかいないユダヤ人の人口なら、受賞者0人であってもおかしくないのに、この4部門で世界の受賞者全員736人のうち179人、何と4人に1人近くの24・3％も占めているのです。経済部門に至っては3人に1人です。ここからもビジネス界で活躍している人が多いこともわかります。

東京の人口がちょうど1400万人（2021年）ですから、ユダヤ人の受賞の割合を当てはめると、ここから178人のノーベル賞受賞者が出ていることになります。ちなみに日本人はこの4部門で25人です。

さて、自宅の門には日本語で「スチーブン・スピルバーグ」と彫られた木製の表札が掛かっていたり、有名な『ジャパン・アズ・

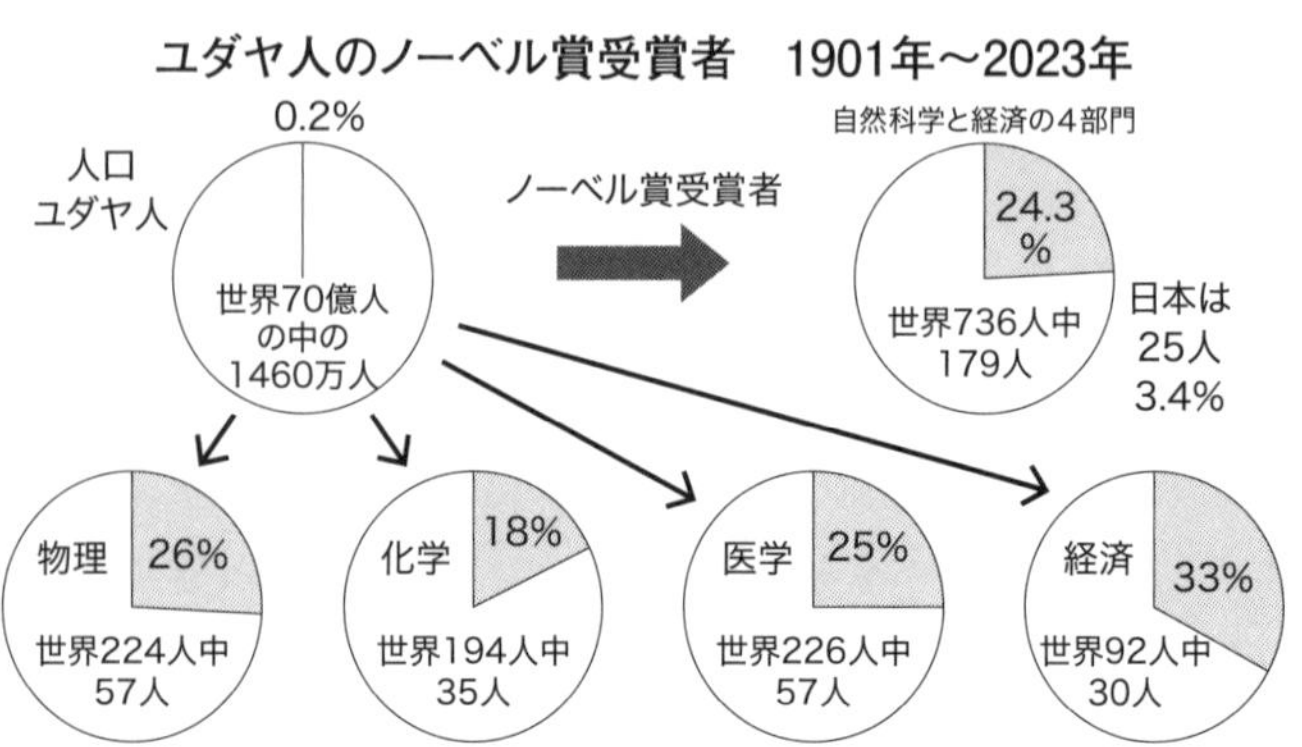

ナンバーワン』の著者エズラ・ヴォーゲル、『それでも日本は成長する』の著者ハーマン・カーン、『第五世代コンピュータ　日本の挑戦』の著者エドワード・ファイゲンバウムは、みなユダヤ人で親日の日本に造詣（ぞうけい）の深い人たちです。

ピーター・ドラッカーも同じユダヤ人で、著書『新しい現実』の中で、「20世紀も終わりに近づいて、無数の独立国ができたが、それは全部日本の真似であった。これらの独立国の共通点は、全部自分たちで政治をやりたいということ、そして外国の優れた技術、制度、法律を入れようということであり、それは日本の明治維新の真似である。

だから、20世紀に本当に政治的に成功したのは日本だろう」と述べており、日本人は彼らの期待を裏切らないようにしなければなりません。

それにしてもユダヤ人のノーベル賞受賞者の割合は世界で特出しています。これだけでも驚きですが、さらにどうしてひとつの分野に限らず、こうも広く多彩な人たちが多いのかとの疑問が湧いてきます。それがいかに多岐にわたっているかを、まずは認識してもらうために、最初の質問でグループごとの業種をきいたわけです。また昨今のベストセラー『サピエンス全史』や『ホモ・デウス』の著者ユヴァル・ハラリもユダヤ人です。

こうなるとどうしても、彼らをこのような成果に導く何かがその背景にあるのではと思わざるを得ません。それは民族の歴史、つまり祖国という定住地を持たず、またキリスト教との宗教上の対立もあり、ヨーロッパでの民族迫害を受けるという不安定な生活の中にあって、頼りになるのは自分の実力だけという境遇、それが培ったものという見方もあります。

しかし、そのような不安定な境遇にある民族は、他にも世界に多くあります。でも、そこからの世界第一人者やノーベル賞受賞者は皆無です。またユダヤ人の2世、3世には、この不安定な境遇は当てはまりません。もっと他に何か要因があるはずです。

そこで彼らをこのような実績へと導いた何か、そこに結びつく何かがないはずはない、との強い思いのもと、筆者の内外の友人知人、特に今回は海外のネットワークをフルに活用して、その考え方や行動、生活様式など、ユダヤ人について気づいたことを何でもいいから教えてほしい旨を伝え、情報を集めました。

その結果、「まさしくこれだ!」と思う事柄に出合えたのです。

●ユダヤ人の〝知頭力〟は家庭での学びが大きい

そこにあったのは、ユダヤ人に共通するユダヤ教の中に出てくる教えで、250万語、70巻1万2000ページに及ぶモーゼの伝えた口伝律法がヘブライ語で収められた『タルムード』というユダヤ教徒の聖典でした。

それはユダヤ教徒の生活・信仰の基となっているもので、その中に出てくる多くの寓話(ぐうわ)を、母親たちが自分の子供たちに、幼少時代から日常的に読み聞かせているという事実でした。

その寓話とは人生の生き方を学べるような内容で、実は親のその教え方がポイントなのです。そこでまずは次に、その寓話の一節を見てください。

「金の冠をかぶった雀」

ユダヤの最も有名な王様、ソロモン王は大きな鷲（わし）の背に乗り領地の視察に飛び回っていた。ある日、エルサレムから遠く離れた領地に飛んでいく途中、たまたま体調が悪くなり鷲から落ちそうになった。

すると、それを見ていた雀たちが何百羽とやってきて、ソロモン王が鷲の背中から落ちないように体を支えた。これに感謝したソロモン王は、雀たちに「おまえたちに何でも欲しいものを与えよう」といった。

雀たちは巣に戻り、何をもらうか大議論をした。「いつまでも身を隠しておけるブドウ畑」という雀もいれば「いつでも水が飲める池」という雀も。また「食べ物に困らないように野原に穂（ほ）を撒（ま）いてもらう」という雀もいた。

その中でこんな意見が出た。「ソロモン王と同じような金の冠をかぶって飛んだら、さぞかし誇らしく飛べてかっこいいだろう」と。雀たち全員が「そうだ、そうだ！」と賛成し、この意見にまとまった。

雀の代表がソロモン王に「王様と同じ冠をください」といったところ、ソロモン王は「あまりいい考えではないな。考え直したらどうか」といった。

でも代表の雀は「いいや、ぜひ私たちに冠を！」と繰り返した。王は「そこまでいうなら仕方ない」と雀たちの願いどおり、全員に冠を授けた。

金の冠を被った雀たちは嬉々（きき）として大空を飛び回った。今まで猟師たちは雀などには目もくれなかったが、金の冠をかぶっているために、全国で雀が狩られるようになった。

仲間たちはみんな撃ち殺され、雀たちはとうとう最後の5羽になってしまった。最後の5羽が、ソロモン王のところに命からがら駆け込み、「私たちが間違っていました。金の冠はもういりません」といった。

雀から金の冠が取り外され、雀は少しずつ平和を取り戻し、何年かのうちにまた元の数に戻った。

この寓話の伝えるところとは、暗に「富をひけらかすと身を亡ぼす」ということを示唆しているのではないかと思われますが、親は「だからこうだ」という結論を話すのではなく、子供たちに考えさせるというのです。

正解というものはなく、親は話の途中で「この後、雀はどうなると思う?」ときいたり、話が終わったあとで「雀はどうして失敗してしまったのか?」、あるいは「では何をどうすればよかった?」などと、その都度、子供たちに自ら考えさせる疑問を投げかけ、彼らの考え方を引き出すという手法を取っているというのです。

「どうなる」「なぜ」「どうして」「何」など、「Why」「How」「What」の投げかけ。ここがキーポイントです。覚えておいてください。

この『タルムード』にはお金の稼ぎ方とか商売のやり方といった細かなノウハウなどはいっさい書かれていないそうで、子供たちは親との対話の中で、物事を考えていく仕組みのうえで、人生における最も大切な物事の道理や本質を突き詰めていく訓練を幼児期から始めているというわけです。

さらにこのとき本を読む、いわゆる読書ということの価値を子供ながらに受け止めさせるというのです。

そして少年期までには自分で考えるということが身につき、その後半ともなれば、彼ら自身で『タルムード』を読み始め、その具体例から、人生に起こりうるあらゆる問題を知り、親や自分自身との問答を繰り返しながら、「なぜなのか」「自分ならこうする」と、多面的な視野を培い、独自のアイデア・創造性を育んでいくというのです。またこの過程で、読解力が身についていくこともわかります。

難解な箇所は、脳の活性化のために素読を繰り返すそうで、必要に応じ、親との対話が入るとのこと。

タルムードはユダヤ人の知頭力の源泉
写真提供:Reuvenk

こうして生きる術、生きる知恵ともなる考える力の下地作りを幼年期から始めており、さらに少年期でそれに磨きをかけ、そして青年期からその学びが開花していくという過程を取っているというのです。

だからこうした過程を通して、あれだけ多分野における多彩な著名人たちを輩出している結果につながっているのではないかということがわかった次第です。

『タルムード』とは古代ヘブライ語で「学習」「研究」を意味し、世代から世代へ引き継がれている一種の思考様式で、生きる知恵のための教材のようなものです。

子供たちにとって、その思考様式は学校教育の場ではなく、幼少の子供時代から社会に出ていくまで、ずっと家庭という場で日常的になされる教育だということがわかりました。

「とにかく子供たちに自ら考えさせることを日常の中で徹底的におこなっている」というこの家庭内での教育の仕組みによって、考える力が早くから確実に養成されていくことにつながっているのです。この情報は非常に貴重で大きな収穫でした。

だからここで親御さんたちへの提案として、日本の昔話やアンデルセン、グリム、イソップなどの寓話の中で教訓になる部分をご自分なりにアレンジして、幼少期のお子さんたちに自ら考えることができるよう、お話しされることをお勧めしたいと思います。

●紀元前1200年の教えは、現代でも普遍の教え

さてもうひとつ、集めた情報の中で、特に目が釘付けになったものがありました。それは次のような『タルムード』からのユダヤの教え、「人生で成功するための10の法則」でした。

(1)?????
(2)他人とは違うものを発見せよ
(3)権威を憎み、権威になるべからず
(4)逆境こそチャンスと考えよ
(5)カネより時間を大切にせよ
(6)まずは元手がいらないことから始める

(7)相手の話は自分の話の2倍聞け
(8)生涯にわたって学び続けよ
(9)カネは奪われるが知識は奪われない
(10)知識より知恵を重視せよ

というものです。

釘付けになった理由はこれからお話ししていきますが、それが興味深いことにつながっていきます。

この10項目の中の1番目の言葉は意図的に伏せていますが、何だと思いますか。あなたが思う言葉を入れてみてください。あとに出てくる解答を知って、たぶんあなたは「意外だな」との印象を受けられるのではないかと思います。

『タルムード』は、日本でいえば弥生(やよい)時代に入る直前の紀元前1200年ほども前、あの海が割れてエジプト脱出を成し遂げたとされるモーゼが伝えた言葉を、のちに聖職指導者たちがまとめたものので、古典の中の古典です。

とはいえ、この10番目の項目などは、特にインターネット検索で知識が簡単にわかるようになった今日、一層強調されるようになった内容であり、掲(かか)げられているこれらすべての項目は色あせるどころか、なおさら今の時代に一層求められるものばかりであることもわかります。

さらにはこれまで見てきたAIと照らし合わせてみても、ダボス会議の10項目の場合と同じく、これらもAIにはなかなか難しいものばかりであることも新鮮です。

さて、ノーベル賞受賞者の多いことはもちろん、リストにあるように幅広い分野で世界に広く認められる人材をユダヤの世界から輩出したという背景には、「考える」という訓練を幼少のときから受けてきていることが大いに関係している、ということがこれでわかると思います。

そこで次に「考える力」と「気力」をいかに鍛え身につけるか、その中身となる具体的な要素の話に移ります。

●ある疑問から、第一人者のメッセージを集め始めた

ここで筆者が以前から続けてきている事を話さねばなりません。

それは世界各界で第一人者と認められている人たちの主張しているメッセージを集めて、それを分析していることです。このメッセージは名言集とは違い、以下、見ていただくとわかります。

名言集はきれいな花を見たときのように感動を覚えるものの、そのときだけの刺激に終わることが多いと思いますが、このメッセージは花の種として、あとでそれなりの実を結ぶように心掛けて選んでいます。

なぜそんなことを始めたのか、それは半世紀ほど前のことです。その出発点自体は、今にして思えば、ＡＩに深く関係してくることになるものでした。この収集のきっかけはひとつの疑問からでした。

それは三菱や三井、住友など財閥やその大きな資本をバックに成長してきた企業が多くある中で、一介の町工場から出発した松下電器（パナソニック）や本田技研がビジネス競争の中、どうしてそこ

まで大きくなれたのか、という疑問です。

今風に見方を変えれば、世の中にごまんとある軽食店や喫茶コーヒー店、呉服店や家具店、あるいはパソコンソフト店や電機屋さんの中にあって、都会からはるかに遠く離れたまったくの片田舎で、ポツンと開業したマクドナルドやスターバックス、ユニクロやニトリ、ソフトバンクやヤマダ電機などが、なぜ他を圧倒する形で成長発展することができたのか、という疑問と同じです。そこには他とは大きく違うリーダーの何かがあったからではないかという、シンプルな疑問です。

そこで創業者である松下幸之助、そして本田宗一郎の足跡がわかる当時の書籍を手にして読んでみたときのことです。

当初、筆者自身がイメージとして持っていたのは、とにかく両者とも従業員にいけいけどんどんとハッパをかけ、ただ前進あるのみというマネジメントスタンスを取っているものとばかり思っていたのですが、全従業員数がまだ60人にも満たないころに「人を使うのは、もうこりごり、たまらん、かなわん」といっている言葉に出合い、ふたりとも弱音ともいえる、そんな言葉を盛んに吐いていたことにびっくりしたのです。

その書籍が出ているころは、もうすでに両社とも何万人もの社員を擁する大会社になっていましたから、ここにきてまた、「なぜそんなことをいいながら大会社に?」と、またまた謎が深まったわけです。

そこでさらに読み進めると、次のような両者の言葉に出合ったのです。

「ある一面で人間ほど厄介な者はないと思う。昔の諺に『人を使うは苦を使う』というのがあるが、私もつくづく人を使うのは苦労だと感じた。（中略）結局人間には利によって動くという面と、使命感・正義感というか、世のため人のために尽くすことに喜びを感ずるといった面があり、半分は利益で動き、半分は利益では動かない部分を持っているのが人間だと心得てからは、非常に動かしやすくなった」（松下幸之助）

「なかなか思うようには動いてくれないのが人だ。人は一時的に権力で動くものの、それを永くつなぎとめることはできないのである。結局、わかったことだが、機械を動かすにはガソリンとスパナが要るけれども、人間を動かすには、食料つまりお金と哲学が要るということだ」（本田宗一郎）

　ここでわかることは、人は理だけでは動かない。情の部分を併せてはじめて動いてくれるという、互いに使っている語彙は違っても、両者ともにまったく同じ内容のことをいっていたという事実です。

　しかし当時若輩で何もわからなかった筆者には、それはたまたまふたりだけに限ったことかもしれないとの疑念が襲いました。

　そこで他の創業企業も少し当たってみると、立石電機（現・オムロン）をはじめ、同じ事例が次々と出てきたことから、「人を動かすには、併せて理と情とに気配りすることで、はじめて納得する形で動いてもらえる」というこの内容は、机上論とは違うまさに実体験に基づく、もはや疑う余地のない普遍的な真理ではないかとの確信を持つに至ったのです。

　そこで立派な企業に育てあげている創業者の皆さんには、他の人々へと示唆に富み琴線に触れるような共通の教えが多くあるのではないか、そしてその中には、親御さんに知ってもらうことで明日の日本を背負っていく子供たちの成長にも役立つようなものがたくさんあるのではないか。

ならばそれらを集めた内容は何かの折に大勢の人々にも役立つことになるかもしれないとの思いから、他の多くの創業者を対象に彼らが共通に主張しているメッセージを集めてみようと収集を始めたわけです。

一芸に秀でよ

その収集で、まず気づかされたことは、「気力」に関係する「一芸に秀でよ」という次のようなメッセージが多かったことです。
「長年仕事に打ち込み、技術を修得した大工さんなどに人生のことを聞くと、素晴らしい話をされます。庭師、作家、芸術家など一芸を極(きわ)めた人の話には、非常に含蓄(がんちく)があります。広く浅く知ることは、何も知らないことと同じなのです。
深くひとつのことを探究することによって、すべてのことに通じていくのです。それは、すべてのものの奥深くに、それらを共通に律している真理があるからだと私は思います。ひとつのことを究めることは、すべてを知ることになるということを忘れてはならないのです」（京セラ・KDDI創業者・稲盛和夫）
「人並みでない苦しみをなめて一芸に秀でた人は、何か真理をつかんでいて、それが万般に通じ、応用できるところが無数に出てくる」（ベネッセ創業者・福武總一郎(ふくたけそういちろう)）
「我が社の人材募集は〝出るクギを求む〟です。一芸、異色、異彩こそが、まったく新しい価値の

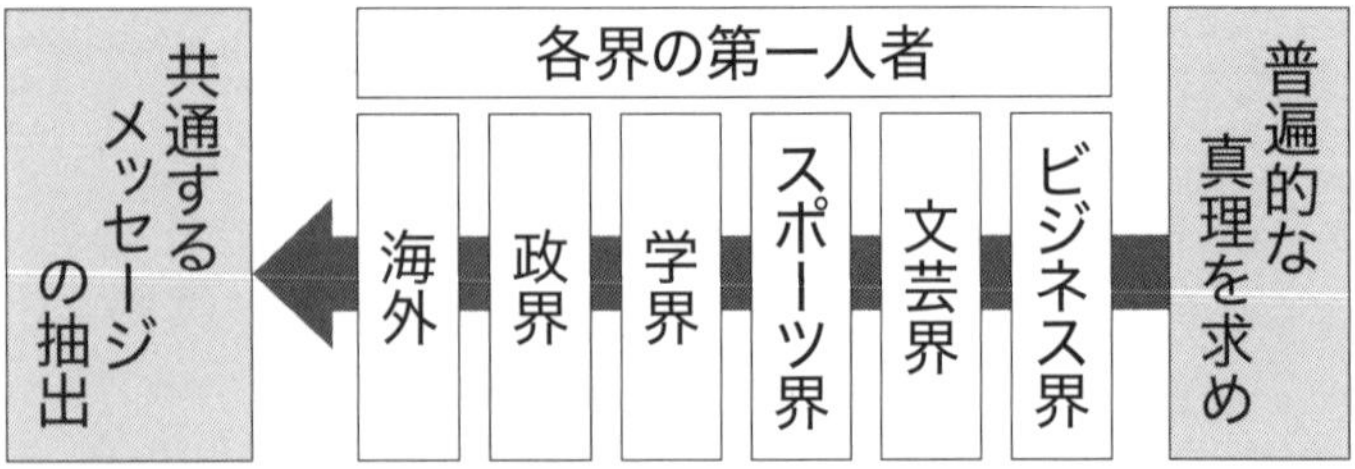

普遍的な真理を求め

各界の第一人者

ビジネス界
文芸界
スポーツ界
学界
政界
海外

共通するメッセージの抽出

創造に寄与することは大であることは、世の証明するところである」（ソニー創業者・盛田昭夫）

これらは共通に「一芸に秀でよと」と訴えているわけですが、少し前の時代の創業者だけでなく、

「異色の人材といっても、本人が努力しなければ何にもならないが、ひとつの世界を極めた人は、他の分野でも十分に能力を発揮できるものである」（ユニクロ創業者・柳井正）

と、今日でもひとつの世界を極めることの重要性をますます訴えるメッセージが出てきていることがわかります。そしてこれらメッセージの前後に語られている言葉を含めて要約しますと、

「一芸を極めると、そこで得たものの中には何事にも通じる普遍の真理があって、それが人生における万般に通ずる思考のバックボーンとなり、何事にも活かせる財産となる。またたいへんな自信がつく。それが拠り所となり、その自信はそこだけに留まらず、すべてに好影響をもたらし、それをベースに他の分野でも力を発揮できるようになる。

さらにその頂点に至るまでには究極の壮絶ともいえる苦難があり、それを乗り越えたという体験があってこそ、さらなる他の苦難が苦難でなくなる。その過程では貴重な新しい発見もあり、さらに最後までやりぬいた人という、世間からの絶大で恒久なる信頼感が自ずと培われる。そのうえ、本人自身の何ごとにも代え難い達成感・充実感は無上の歓びとなる」

というものでした。

この事実から創業者などビジネス界だけではなく、文芸界やスポーツ界、学界や政界、その他にも対象範囲を広げ、さらに海外も含めて、その道の第一人者が主張する普遍的な共通真理となるようなメッセージに目配りをすることにしてみたわけです。

出発点が松下幸之助、本田宗一郎でしたから内容が古いと思わないでください。本書は2023年までの世界各界第一人者までカバーしていることと、実は彼らのメッセージは真理をいっていますので、時間と空間を越えた今日でも多々そのまま通じるということが、このあとの分析のところでもわかります。

●世に認められるための「集中努力時間」は6000時間以上

そして一芸という中で、頭脳を駆使する分野の例を見てみると、こんな言葉にも出合いました。

それは将棋の第51期名人の米長邦雄(よねながくにお)の言葉で、体験に基づくプロになるまでの努力時間です。

米長には、3人の兄がいて、いずれも東京大学に進学していますが、「兄たちは頭が悪いから東大へいった」と語っています。そして著書にこう書いています。

「先日、その兄と、人間はどのくらい時間を費やしたら一人前になれるか、という話をしたことがあります。兄は東大に合格するために、高校1年の夏から卒業するまで、夜の7時から午前2時までの7時間、毎日勉強して、昼間は学校でほとんど昼寝をしていたといいます。

これは受験勉強に延べ約6000時間をかけたことになります。私の場合、中学から高校までの6年間、毎日5時間ほど将棋の勉強をしましたので、延べ約10000時間になります。ダラダラとした勉強では、いくら時間をかけてもムダですが、私の場合は必死でした」

そして、司法試験のような資格であれ芸の道であれ、少年少女期や青春時代に6000時間ほど集中して努力することで、世の中に認められる、と結論づけています。

ちなみに、当時の年間祝日を13日、また月に1日休むとした1年340日を基準に、本人の話による研究や練習時間をもとに筆者がいくつか計算してみますと、次の通りです。

- 米長邦雄（中1弟子〜高卒業まで毎日5時間でプロ合格）……1万200時間（5時間×340日×6年＝1万200時間）
- 米長の兄（高1夏から毎日7時間東大合格まで）……約6000時間（7時間×340日×2・5年＝5950時間）
- 司法試験の合格射程距離（毎日10時間を2年）……約6800時間（10時間×340日×2年＝6800時間）
- 羽生善治（小2の10月入会から中3の12月プロ合格）……約7700時間（注1参照）
- 藤井聡太（小1から中2の10月のプロ合格まで）……約8000時間（注2参照）
- 仲邑菫（3歳半ばから10歳0か月でプロ合格まで）……約6600時間（注3参照）
- 大谷翔平（小2の最後から高1夏の甲子園出場まで）……約5600時間（注4参照）

・イチロー（小3から高2夏の甲子園出場まで）……約6300時間（2・5時間×340日×7・5年＝6375時間）
・谷亮子（小2夏〜中3夏まで7年国際試合初優勝まで）……約6000時間（2・5時間×340日×7年＝8100時間）

注1：（小2の10月にクラブ入会、新聞独学を小6まで、小6の12月弟子入り、中3の12月プロ合格）＝クラブ（5時間×52週×4年）＋集中独学（1・5時間×340日×4年）＋弟子（4・5時間×340日×3年）＝7670時間
注2：（小1で東海研修会に入会、小5でプロ棋士養成組織の奨励会に入会し、中2の10月でプロ合格）＝小1〜小4（2時間×340日×4年）＋小5〜中1（4時間×340日×3年）＋中2の10月まで（4時間×30日×10か月）＝8000時間
注3：（3歳半ばから7歳まで平均3時間と、小学校入学から10歳ちょうどでプロ入りまで月〜金の6時間、土日の9時間）＝3歳〜7歳（3時間×340日×4年）＋入学〜10歳（6時間×52週×5日）＋入学〜10歳土日（9時間×52週×2日）＝6576時間
注4：（小2の最後から高1の7月まで）＝小3〜小5（1時間×340日×3年）＋小6〜中3（3時間×340日×4年）＋高1の7月まで（4時間×120日）＝5580時間　大谷の場合、本人やコーチ役だった父親の語る正確な数字がなく、確かなリトルリーグ入りから甲子園出場までの筆者による推計値です。

やはり米長邦雄がいっているように、若いうちにひとつの目的に集中して、約6000時間以上

を費やせば、プロとしてその道の第一人者になれるということになります。

ちなみに2023年10月、前人未踏の将棋界全8冠制覇を成し遂げた藤井聡太は、中学2年14歳のとき、棋界で一番早くＡＩ将棋の研究を始めた棋士です。

さて、プロの時間ということで、2001年、ワールドカップが日本で開催された折、筆者がタイガー・ウッズと直接話をする機会があり、その時、彼に天賦の才能についてきいたときの回答を、ここでご紹介します。

「間違わないでほしい。天賦の才能などというものはない。あくまでも、どれだけそのことに時間を費やしたかによる。自分は生後9か月でオモチャのクラブを持って遊び始めたと父親がいっているように、それからずっと今日まで集中し、夢中でやってきているのだから、あなたたちと差が出るのはあたりまえ。誰でもごく幼少のときから始めれば、プロレベルになれる。

ゴルフで成功する道は汗を流し、手をマメだらけにすること以外にはない。ゴルフの成績で僕を追い抜くゴルファーはいるかもしれないが、でも、練習に関して僕を追い抜ける人は誰もいないでしょう。

何事も時間もかけないで、自分は才能がないなどというのは、それは本人の言い訳にすぎない」

と、胸にグサッとくる言葉でした。

少年時代のタイガーについて、母親・クンティダーが、「カーペットから打った球をソファーの上へと上手に乗せながら、次々と場所を移動、家の部屋中をグルグル回っているタイガーから、あるとき、〝ママ、見てて〟といわれて振り向くと、カーペットから打ち上げたボールがガラス・テーブルの上にスーッと滑る（すべ）ように落ち、まるで生き物のようにクルクル回転してピタッと止まるんです。そのときは、思わず見入ってしまいました」といっているように、早くからその技術を磨いていたことがうかがえます。

また父親のアールが語る次の言葉から、輝かしい彼の業績の数々が幼少のころからの精神力、集中力の訓練にあったことが、はじめてよくわかります。

「私はタイガーを精神的にタフなプレイヤーにするために幼少のころから、何度となく動揺をしないための苛酷（かこく）な試練を与えてきた。彼との間であらかじめ基本的ルールを取り決めていた。

それは、もしタイガーが『やめる』という合言葉を口にすれば、いつでも練習はやめることができるが、私に何をされても、その「やめる」以外の口答えは絶対許されないというルールである。

彼のスイング中にクラブを何本もバラバラと地面に落としたり、わざと彼の視界の中に立ち、ショットを打つ瞬間、体を動かすこともした。スイングに入るのを待ち構えて咳（せき）もした。

これらは、まだましなほうだ。恥ずかしい話だが、彼を動揺させるためとはいえ、私はごまかしまでやった。例えば、グリーンでボールをマークするとき、よりカップに近いところへ、そっとボールを戻し替えることなど。

彼は私のごまかしに気づいたが、それでも〝やめる〟と一度も口にしなかった。これが、ほかでもない自分自身の訓練なのだということを、いつも忘れなかったからだ」

タイガー・ウッズは、このように父親からタフな精神を得るための厳しいトレーニングを受けて、自分よりタフな精神の持ち主などいない、という確固たる自信を身につけていったのです。

●人に役立つよう「かたくなにこだわる」「ひたすら極める」

ひとつの道を極めるプロという職業の凄さを見る思いですが、この道を極めることに通じる「かたくなにこだわる」という点で、筆者が集めた情報の中に非常に印象に残った話があります。この「こだわり」は気力の世界のことで、ＡＩには決してできない、ここが非常に重要なところです。まずはApple社のスティーブ・ジョブズの例です。

その１：携帯音楽プレイヤーiPodの試作品を見たジョブズは、「サイズが大きすぎる」と、技術者たちにＮＧを出します。「これ以上小さくするのは無理だ」という技術者の前で、ジョブズは試作品を金魚の水槽に投げ入れます。そして気泡が出ているのを見せて、まだ小さくする余地があることを認めさせたのでした。

その２：パソコンの試作品を見たジョブズは、パソコンの中の基盤模型を見て「美しくない」とＮＧを出します。「中の基板など、誰も見ない」という技術者に対し、「腕のいい飾り棚の職人だったら、後ろが壁で誰の目にも触れないからといって、背板を安物のベニヤ板で済ませるような真似はしない」と言い放ちました。

その３：パソコンの起動時間を短くするためのあらゆる工夫をしつくした技術者に対し、ジョブズはＮＧを出します。「あと3日かかって1秒しか短縮できなくても、やる価値はある」といい、たとえ1秒であっても、大勢の人が使えば、延べにすれば膨大な時間になると説いて、結局3秒の短縮に成功しました。

次はApple社のスタッフが、日本の職人技の評判を聞きつけて来日したときの話です。

それは2000年のある日、「機密扱いとして、うちの製品のステンレス製裏ブタを鏡のように磨きあげてほしい」と、そこのスタッフが新潟県燕市の田んぼの中にある一軒家、従業員5人の研磨業者をひそかに訪ねました。

完成した携帯音楽プレイヤー、iPodの現物などがまだないときなので、当初、そのスタッフが盛んにアイポッド、アイポッドと口にするのを聞いて、当時57歳の小林一夫事業主は、すっかり電気ポットのことだと思い込み、「わざわざ外国から足を運び、機密扱いにまでして、何で電気ポットを磨くのか」と思ったそうです。

その要求された研磨技術は、直線がほんの少しでもうねって映ったら不良品となる、薄さ0・5㎜のステンレスを1/1000㎜単位で磨くというもので、これまでの研磨では最もグレードが高く、過去に注文などなかったものでした。

当初、機密扱いでしたが、仕上がりのよさから、Apple社よりその貢献度を高評価され、結果、iPodの加工メーカーであるという公表を認められたのです。

それを政府が知るところとなり、2007年2月25日、当時の安倍晋三首相と菅義偉総務大臣が小林研業を訪れ、後継者の育成を依頼したのでした。

誰でも思わず、「最高のグレード研磨を何で裏ブタにまで?」と思ってしまうこの徹底したこだわりは、すべてユーザー側に立って見ている気配りにあることがよくわかると思います。

実際、世界の市場を席巻するのは、自然と製品から気配りがにじみ出ているからこそで、スマートフォンを持っているあなたも、大いに彼からの恩恵に浴していることになります。

だからジョブズの側近はいっています。「彼のこだわりの根底にはひとつの哲学があった。それは人間の感性に対しての尊敬なんです。作っている我々は気づくけれども、この差は買ってくれるお客さんは気づかないだろう、という考え方はしないのです。

でもお客さんは絶対にわかってしまう。わかるから、ひとつひとつ最善を尽くして仕上げていくんだという考え方なんです」と。

このジョブズの感性と人間を気づかう優しいハート、そして哲学には、とてもAIはかなわないのです。

●東京ディズニーランドのこだわり

このこだわりの分野でもうひとつ、東京ディズニーランドの話をしなければなりません。

1980年代に地方活性化の波に乗って、200近くのテーマパークやレジャー施設がオープンしたものの、それら多くが1990年代に閉鎖されていく中、東京ディズニーランドは繁栄発展を続けています。それはAIには決して真似のできない発想によるものですが、ここであなたに「考える力」を実践してもらうために、次の4つの問題をそれぞれ6分ほどずつ考えてみてください。

①最寄り駅である京葉線舞浜（まいはま）駅の駅名を、「東京ディズニーランド駅」とする日本案を、アメリカ本社が即座に「ノー」といったのはなぜでしょうか？

②園内敷地を桜の木で満たす日本案にも、即座に「ノー」といったのはなぜでしょうか？

③敷地の建設が始まる前から、そばを通る京葉線に新たな駅を作ることがわかっていたのに、わざ

わざ渡り廊下まで設けて、ゲートの位置をあえて舞浜駅から離れた場所に設定したのはなぜでしょうか？

④開園後2年ほどで、南西にあたる海側の園縁のほうだけを、当時、わざわざ20億円もかけて、さらに土を盛って高くしたのはなぜでしょうか。

各6分の考慮、いかがでしたか。それなりの回答が出たと思います。

さて、その答えはすべて共通のひとつ、本国ディズニーランドの設立当初からのモチーフとなっている「夢の国」のイメージを、かたくなに守るためなのです。

この答えがわかった今度は、なぜ①～④が「夢の国」を守るためなのか、もう一度3分ずつ考えて、あなたの答えを出してみてください。

この「なぜ」の疑問を解いていくことが、ＡＩ世紀の思考力や創造力を身につけるのに非常に重要な役目を果たすことを、のちにアインシュタインやその他のわかりやすい具体例とともに説明いたしますが、あなたの考える力を培うためと思ってお願いします。

ここでこの解答への大きなヒントになることとして、そうしないと「夢の国」のイメージが壊れてしまうことを念頭に考えたらわかってくるのではないかと思います。

いかがでしたか。では順に解答です。

①駅の構内や駅舎周囲は、当時の国鉄が管理するため、立ち食いソバ屋やベタベタ貼られた広告、また散らかった新聞紙やタバコの吸い殻、うるさいアナウンスなどによって、電車を降りた瞬間、夢の国に着いたという来園者のイメージがぶち壊されてしまうから。

②夢の国には四季がないのです。四季感で入園者を現実の世界に引き戻してはならないということです。だからまた夢の国では葉っぱも枯れてはならないのです。開園前、海外から多くの木が輸入され、10年間もテストがおこなわれて、1日最大10万人分の園内入場者の酸素が自給自足でまかなえるよう、必要な葉っぱの面積までを計算で求め、30万500本以上の木が園内に植えられているそうです。

③これは来園者のハートをつかむことを優先したためです。最初の来園者が「夢の国にきたんだ」という後々まで残る印象を一番強く焼き付けられるのが、シンデレラ城の正面をバックにして撮った写真なのだそうです。この写真写りの善し悪しが、再びいきたいという思いや他の人たちへ伝わる評判にも大きく影響してしまうということなのです。

そこで駅とシンデレラ城の位置関係の話になりますが、ゲートは1か所。そこから真っ直ぐ進めばお城の正面に出る設計ですから、駅を降りたすぐのところにゲートを作れば、楽に正面に出られるわけで、大多数の来園者に大きなメリットを提供できることになります。しかし駅はお城の北側に当たるため、お城をバックに写真を撮ろうとすると、どうしても逆光になる時間帯が多くなってしまうのです。

そこで家にいつまでも残る一番印象の深い写真がきれいな写りのままで残せるよう、逆光の時間帯をできるだけ避け、さらに歩く負担も最小限にし、さらに車でくる来園者の駐車場からの距離も考慮して現在のゲートの位置になったそうです。

④海側に建ち始めたホテル群を隠して、現実に引き戻されないようにするため。

園内は15分おきにカストーディアルと呼ばれる清掃員によってチリひとつなく清掃され、乗り物に利用される流れる水は毎夜取り換えられ、食料品や必要な物の搬送は裏舞台の地下道を使い、また園内の呼び出しや連絡放送、救急サイレンなどはもちろんご法度で、お客様を現実の世界に引き戻すような場面は一切、ノーなのです。

またここには常に最高のおもてなしができるよう300冊以上のマニュアルが整えられていて、その中のひとつにツーウェイコミュニケーションがあり、受付では「いらっしゃいませ」といってはいけないとあります。

そういわれて「なんでや」と思ってしまいますが、たしかに「ウン、きたよ」とも返事できません。ただ黙って通り過ぎるだけです。このように全従業員には来園者と楽しく会話が始まるようなあいさつなり呼びかけを心掛けるよう徹底されているのです。

他の多くのテーマパークは作られては間もなく消え去っている中で、東京ディズニーランドは、2020年のコロナ禍による臨時休園が始まる前、2019年までの36年間で日本の総人口の6倍以上、7億8000万人もの来園者を迎え、リピーター率が90%という「夢の国」になっているわけです。

ジョブズと東京ディズニーランドのこだわりに見られる気配りは、万人の心をとらえ大きく飛躍発展していく原動力になっていることがよくわかります。

AIにはハートがありません。だからこの人間の感性に訴える気配りは、絶対にAIには真似のできない人間にだけできる貴い精神活動であるということを、改めて確認していただきたかったことから、このふたつの例を見てもらいました。

さらに「一芸に秀でよ」と「こだわり」に関連して、AI世紀だからこそ見直される世界に「オタク」があります。といっても単なるオタクではなく、遊びでも何でもその分野に限らず、その道を極めるオタクです。

もはや広く浅くはITやAIで簡単にカバーされ、AI世紀になればなるほどAIも近づけない、物事を深く掘りさげたその道を極めているオタクは貴重な存在になってくるのです。

エリート職も代替される中、これからはどのような分野にしろ、ナンバーワンやオンリーワンの尖ったところを持つ人材が求められるようになってくるでしょう。

ではいよいよ「考える力」と「気力」の中身となる要素、そしてその主な要素に対する鍛え方、身につけ方の具体的な話に入っていきます。

●宝石のような数々のメッセージを分析し始めたきっかけ

さて、ユダヤの教え、「人生で成功するための10の法則」で、目が釘付けになったという理由や、その1番目に載っている言葉は何か、その回答を忘れているわけではありません。

それに言及するためには、共通の内容を主張しているメッセージを単に収集するだけでなく、分析にまでに駆り立てられるきっかけとなった、やはり松下幸之助と本田宗一郎の言葉を紹介することから始めねばなりません。それは、

「こんなはずはない。こんなバカなことはない。必ず売り出すことができる、という気持ちが、万

事休したこの時においても、なお心の底に強くあって、不思議と悲観しなかったものである」（松下幸之助）

という言葉です。これは松下が創業まもなく、自転車の前に取り付けるための新しく開発した電池ランプを、いざ売り込みに取りかかったとき、問屋をはじめ、電器屋、自転車屋と、ことごとくから総スカンを食ったときの言葉です。一方、

「開発を始めて9か月、思うようにピストン・リングができない。くる日もくる日も失敗の連続だった。だが、このオレがこれほど打ち込んでいる以上、絶対に成功する」（本田宗一郎）

という、これは本田が創業まもなく、エンジンのカナメともいえる大切な部品の開発中における言葉です。

この部分だけだと、新製品や部品を売らんがために必死になっている創業者の姿という印象が先にきますが、ここで筆者が素朴な疑問に思ったことがあるのです。

それは、どちらもこれから先の、まだ海のものとも山のものとも、どうなるかわからないことに対して、「必ず売り出すことができる」とか、「絶対に成功する」とか、なぜ「必ず」や「絶対」といった断定した言葉で表現ができるのか、ということです。

それは信念のようなものだとしたら、なぜそんな信念が持てるのかということです。

不思議に思いながらその先を読み進みますと、その答えは、そこに出てくる次のような言葉からわかってきました。

まずは松下。

「これは世の中に役立つもの、世の中にとって必要なもの、だから世の中を少しでもよくしなければならないという、そんな使命感のもとで作ったものが受け入れられないはずがない、という信念はゆるぎないものであった」

という言葉です。そして松下は問屋や電器屋、自転車屋が受け入れないのは、製品の真価をまだわからないからだとして、今度は小売店に直接アプローチする方法を取って、そこにサンプルを無償で置いて回り、従来からあったものより電池が10倍も長持ちすることを実際に試してもらうのです。そして小売店がそれでいいと思ったときに、はじめて買ってもらえばいいという手段を取ったのです。これが功を奏し、以降注文が殺到する結果となったのです。

また一方、本田は、

「あくまでも人間さまに役立つ品物、より社会に奉仕する品物を作り出すこと、この仕事は人のため、国のため、社会のためになるものを世に出すという強い使命感に燃え、私心をなげうち、その気になりさえすれば、カワラの上にまかれた種子でもいつかは芽を出すとの信念で、歯をくいしばり、夜中の2時、3時まで研究に取り組む日が続いた」

との言葉を残しています。本田は「このときほど、勉強もしないで遊びに夢中になっていたことを悔いたことはなかった。学問が根底にない商売は、一種の投機事業みたいなものでしかなく、私は大きな仕事をやるには、やはり技術の基礎がなければいけないと思い知らされた」として、大の勉強嫌いだったものの、本田はそのとき29歳になっているにもかかわらず浜松工業専門学校(現・静岡大学)の校長に直談判(じかだんぱん)して夜間部に入れてもらい、材質の勉学研究に没頭すること3年、遂に完成品を仕上げたのです。

●メッセージ分析から浮かび上がってきたこと

ここで松下と本田の言葉から見て取れるのは、まず己よりも世のため人のために役立つことという思いが念頭にあり、それが強い使命感となって信念の上流にきていること、だからこれが原動力として後押しする形となり、あの断定するような言葉となって出てきているということがわかったのです。

かつて財界の指南役といわれた三鬼陽之助（みきようのすけ）は『プレジデント』誌（1992年）に、「成功する経営者と失敗する経営者を最後に分けるのは、使命感の強さ、信念の強さの差で、松下幸之助、本田宗一郎に共通するのは、身の引き締まるほどの使命感に燃えた姿であり、確固たる信念を持ち、それを貫き通すために厳しく己を律した姿だ」といっています。

つまりメッセージの中で主張されている内容をキーワードで分析すれば、それらは互いに深く関係していたり、中には上流下流という前後関係のもの、あるいは横並びに相当するものまでわかるということが判明したわけです。

このことがきっかけとなって、各メッセージそれぞれに、信念、使命感、大局観といったキーとなる主張ワードを振り当てていけば、結果、そのキーワードをいろいろな視点からの集計や、それぞれの関連性の分析などから、また新たな示唆に富む何かが出てくるかもしれないとの思いを持って、さっそくキーワードづけをおこなっていったのです。

第一人者の主張キーワードの種類分布割合

	3分野のキーワード群		ワード種類数
A	品質、生産性、能率、業績、予測、売上、目標、賃金、経費、原価、在庫、管理、利潤、不良率、分析、研究、市場、需要、優先順位、資本、負債、戦術、計画、手形、株価、利率、投資	**「理性的」分野** （左脳の働き） 分析的、計画的	30%
B	感性、好奇心、向上心、探究心、直感、情、志、信念、使命感、逆境、夢、希望、反対、楽天、チャレンジ、忍耐、理念、思考、人間性、洞察、先見、熱意、誠意、説得、変える、やる気、気づき、気配り、勤勉、大局、動機、勇気、ハングリー、競争、前向き、リスク、困難、疑問、危機感、アイデア、創造性、応用力、変化、適応、哲学、見識、運、決断、正義感、人格、愛、姿勢、知恵、芸術、ネアカ、失敗、責任、判断力、価値観、根性、執着心	**「情感的」分野** （右脳の働き） 感覚的、イメージ的	60%
C	政治、外交、日本、人生、教育、組織、リーダー、お客、経営、ビジョン、真理、思想	**「中庸」分野** （右脳左脳両者）	10%

そしてメッセージが3000ほどの数に達したころにこの作業をまとめ、集計してみたところ、キーワードの種類は100ほどの数になりました。そして松下と本田から得た理と情、つまり脳の活動から見た左脳と右脳のふたつの分野に属するキーワードと、それ以外のどちらとも属さないものと、全部で3つの分野に分け、その単純集計をしてみたのです（図「第一人者の主張キーワードの種類分布割合」）。

つまり「A．左脳の働きとして理性的分野（分析的、計画的）のもの」「B．右脳の働きとして情感的分野（感覚的、イメージ的）のもの」「C．どちらにも属さない中庸分野のもの」の3つです。

すると、この3つに属するキーワードの種類として、その数の割合はAが30％、Bが60％、Cが10％という結果となって出てきました。

これは種類だけの集計ですが、その言及頻度の数からの累計になりますと、Bが75％ほどにもな

第一人者のキーワードの関連性

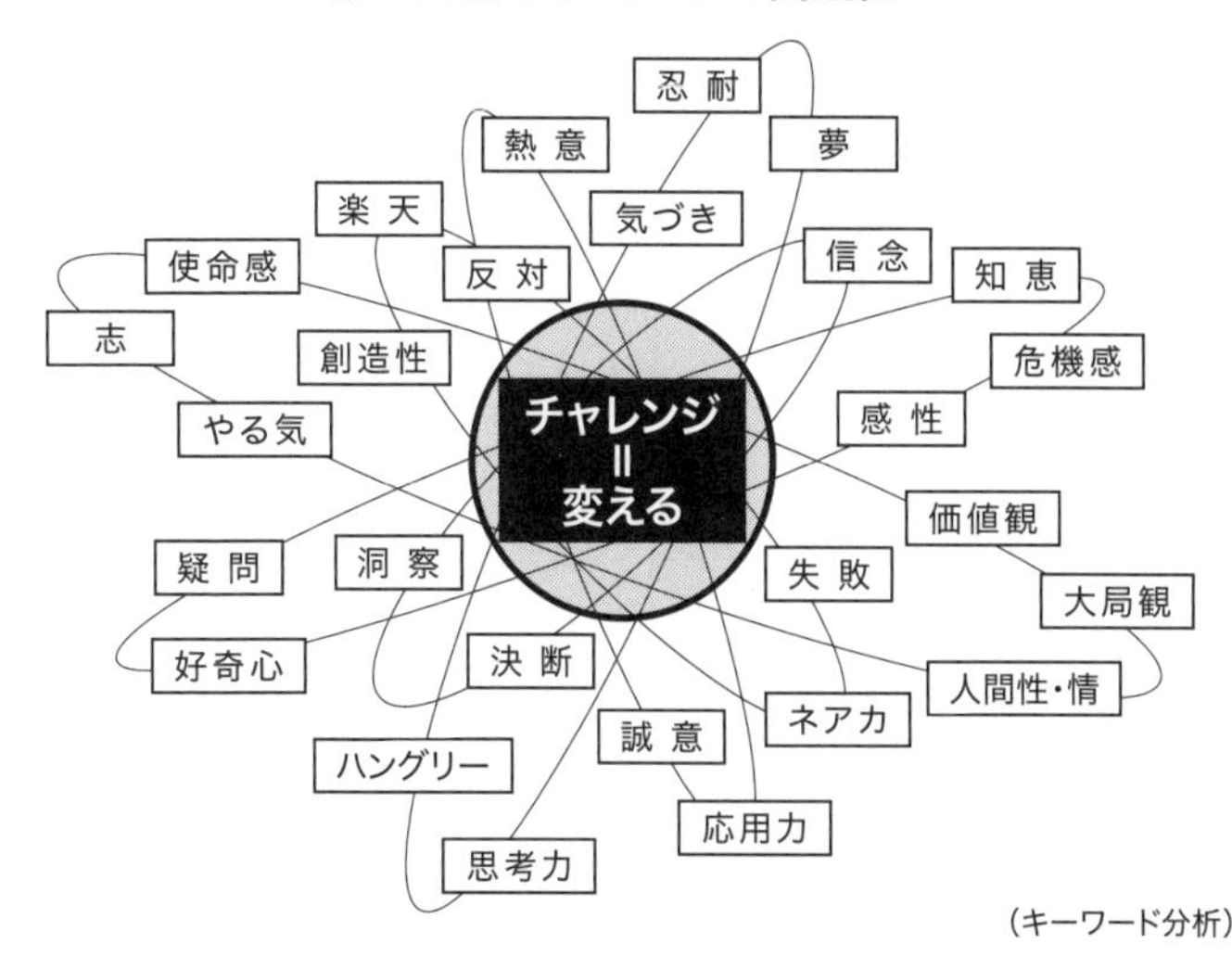

（キーワード分析）

りました。

ここでびっくりしたのです。というのもこの分析で対象とした第一人者の300人ほどは、ビジネス界、政界、学界、文芸界、スポーツ界の面々と幅広かったのですが、その8割ほどがビジネス界、政界、学界であり、その彼らからは当然理性的な左脳の働きのワードが多いと思っていたからです。

そして当時のIBMにあった数量化理論の統計ソフトを使ってキーワードの関連性も分析した結果、その中心には「チャレンジ・変える」というキーワードがきて、その周りを信念、使命感、大局観などといった主要キーワードが取り囲んでいる構図になったのです（図「第一人者のキーワードの関連性」）。この関連性の分析では、今のAIの小型ワトソン版のようなことをやっていたことになります。

これ以降も今日までメッセージの収集を続けて

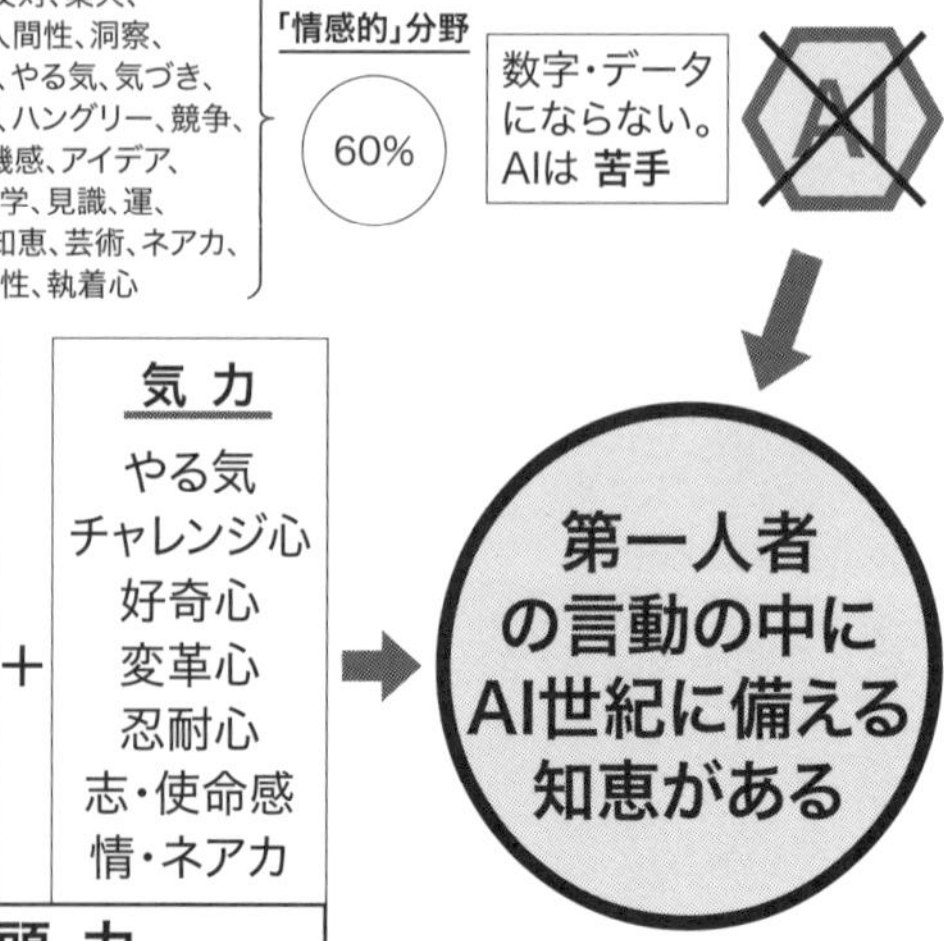

きており、その数は4500ほどになっていますが、第一人者の主張しているメッセージの要旨もA、B、Cの比率もまったく変わっていないのです。

例えば次は、2019年、「刺さる言葉」と題したNHKのインタビュー番組の中で、ユニクロ戦略を語ったあとの柳井正社長が、これからの時代に必要な意識とはとの質問を受けて、最後の1分半で答えた言葉です。

「チャレンジ精神がないとダメです。上司がいったことばかり聞いて、毎日、同じオペレーションを回している人はダメです。

いろんなことに興味がないといけない。世の中がドンドン変わっていく中で、ビジネスをするということは、気づきの力がすごく大事なのです。

今の人が30年前の自分を振り返ってみて、30年後の今がこうなるとは誰も思っていない。そのくらい変わる。世の中が変わると思ったら、自分が最初に変わって変化に合わせていくという態度がないといけない。

だから自分で考えて、自分でやる。そのためには好奇心を持って知識を吸収して、いろいろな事を体験しないとうまくいかない。すべてが変化していく。その中で安定というのは衰退の前兆ですから」と。

ただの1分半の間に、チャレンジ、気づき、自分が変わる、変化への対応、好奇心といったキーワード、そしてさらに〝自分で考えて、自分でやる〟と「考える力」のことにまで言及しています。

やはり物事の底を流れる本質的なものは、時代が変わっても分野を貫く普遍的な真理であることから、第一人者の主張する要旨そのものは少しも変わっていないということも当然のことといえます。

この統計で注目すべき点は、Bグループのキーワード数がAグループの2倍も、さらにその言及頻度は3倍近くもあり、それだけ第一人者はこの分野の言動を重要視していることを反映しているわけです。

さらにこのBグループは数字のデータにはならない、AIが苦手な、むしろAIにはできない分野のことばかりで、それをAIのことなどまだまったく知らなかった第一人者たちのメッセージで主張しているという点です。

それらは右の図に示したように「考える力」と「気力」と、大きくふたつの群に分けることができ、その中身は「内オデコ」の働きである「知頭力」の要素そのものです。

つまり第一人者のいっているメッセージや彼らの行動の中には、あなた、あるいはお子さん、お孫さんたちがＡＩ世紀を乗り越えていくために役立つ、ＡＩには手も足も出ない知恵がたくさん詰まっていて、お母さんたちの困惑されているお子さんたちの思考力、創造力……などの鍛え方や身につけ方、そして読解力の問題も、それらを披露することによって解決するということです。

つまりこのＢグループのメッセージは、ＡＩ世紀を生きていくための知恵が詰まった宝の山ということであり、このことはまさしくＡＩ世紀に人間は、脳のここを鍛え、発揮していけばいいということをＡＩが教えてくれていることになります。

ではいよいよそれらをまとめて展開する次の第5章から本書の核心部分に入っていきます。最終的に物事の成否は、これら要素の働きにかかっていることが、そこで展開される事例でよくわかってきます。

その過程で、ユダヤの教え「人生で成功するための10の法則」で目が釘付けになったという背景や、その1番目に載っている言葉も説明してまいります。

90～92ページの人物に関連する企業名、その他の情報

1. **マックス・ファクター**（化粧品）、**ヘレナ・ルビンシュタイン**（化粧品）、**エスティ・ローダー**（化粧品）、**チャールズ・レブソン**（化粧品）
2. **ラルフ・ローレン**（アパレル）、**リーバイ・ストラウス**（アパレルのジーンズ）、**ドナルド・フィッシャー**（アパレルのGAP）
3. **アドルフ・ズーカー**（パラマウント映画）、**ワーナー・ブラザーズ**（ワーナー映画）、**ウィリアム・フォックス**（20世紀フォックス映画）、**ルイス・メイヤー**（MGM映画）、**カール・レムリ**（ユニバーサル映画）、**ハリー・コーン**（コロンビア映画）
4. **デービット・サーノフ**（放送3大ネットワークのNBC創立）、**ウィリアム・ペイリー**（放送3大ネットワークのCBS創立）、**レオナード・ゴールデンセン**（放送3大ネットワークのABC創立）、**ポール・ロイター**（ロイター通信）、**マイケル・ブルームバーグ**（通信会社）
5. **ジョセフ・ピューリッツアー**（新聞）、**アーサー・ザルツバーガー**（新聞・ニューヨーク・タイムズ/ワシントン・ポスト）、**ウォーレン・フィリップス**（新聞・ウォール・ストリート・ジャーナル）、**ヘンリー・ルース**（雑誌・タイム社設立し、タイム、ライフ、フォーチュン創刊）、**サミュエル・ニューハウス**（新聞／雑誌・ニューズ・デイ、ヴォーグ、マドモアゼル）
6. **マーカス・ゴールドマン**（金融）、**ジョージ・ウォーバーグ**（金融）、ジョージ・ソロス（金融）
7. **マーカス・サミュエル**（実業家、シェル石油）、**アンドレ・シトロエン**（実業家、自動車）、**カミロ・オリベッティ**（実業家、タイプライター）、**アイザック・シンガー**（実業家、ミシン）
8. **マイケル・デル**（デル）、**ラリー・エリソン**（オラクル）、**ラリー・ペイジ**（Google）、**セルゲイ・ブリン**（Google）、**マーク・ザッカーバーグ**（フェイスブック）、スティーブ・バルマー（マイクロソフト）、アンディ・グローブ（インテル）、アーサー・レビンソン（Apple会長）
9. アルベルト・アインシュタイン（物理学者）、ジークムント・フロイト（神経病理学者）、フォン・ノイマン（数学・物理学者、コンピューターの父）、ロバート・オッペンハイマー（理論物理学者）、セルマン・ワクスマン（微生物学者、ストレプトマイシン発見）、ピーター・ドラッカー（経営学者）、アルビン・トフラー（未来学者）、エズラ・ヴォーゲル（社会学者）、ハーマン・カーン（未来学者）、ユヴァル・ハラリ

（歴史学者）

10. ジョージ・ガーシュイン（作曲家）、レナード・バーンスタイン（指揮者・作曲家）、ブルーノ・ワルター（指揮者・作曲家）、アルトゥール・ルービンシュタイン（ピアニスト）、メンデルスゾーン（作曲家）
11. チャールズ・チャップリン（映画監督・俳優・プロデューサー・脚本家）、ダスティン・ホフマン（俳優）、ウディ・アレン（映画監督・俳優・脚本家）、ハリソン・フォード（俳優）、カーク・ダグラス（俳優・プロデューサー）、ナタリー・ポートマン（女優・映画監督・プロデューサー）、ウィノナ・ライダー（女優・プロデューサー）
12. ベニー・グッドマン（クラリネット奏者・バンドリーダー）、ボブ・ディラン（シンガーソングライター・ノーベル賞受賞者）、ポール・サイモン（シンガーソングライター）、アート・ガーファンクル（シンガーソングライター）、ビリー・ジョエル（シンガーソングライター）、ジーン・シモンズ（ロックバンド「キッス」のメンバー）

知頭力を鍛える問題(4)

左側の図のように切れ目を入れ、それぞれ右側の図のようにA、B、C、Dを組み立てると、面積が違ってくるのは、なぜか。

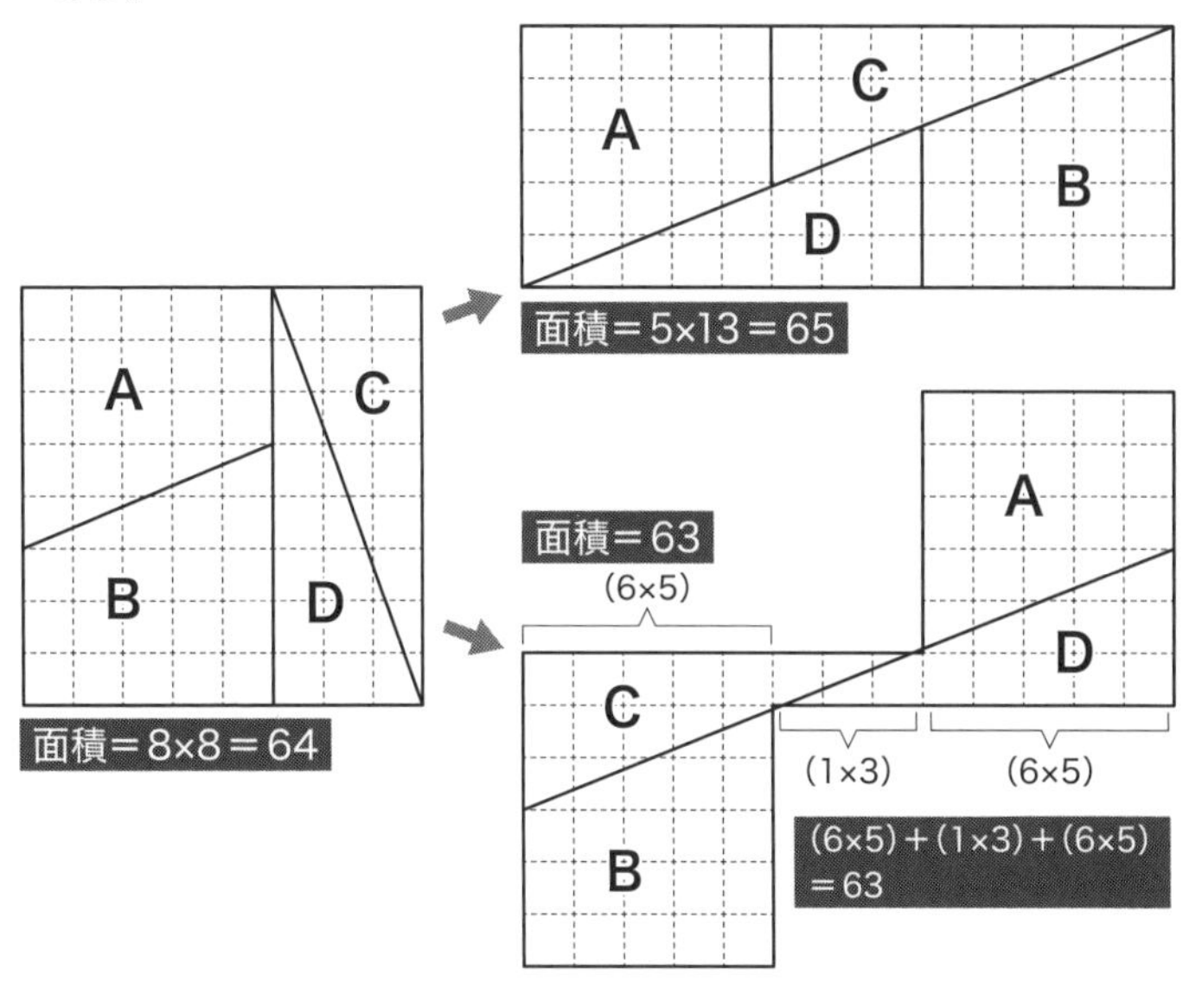

知頭力を鍛える問題(4)の答え

面積が違ってくるのは、設問の斜めに切ってある線で、**勾配がわずかに違うため、組み立てた図のように直線にはならない**からです。

だから、右側の**上の図では隙間ができ、下の図ではわずかな重なり部分ができる**のです。

このわずかな隙間と重なりが、ちょうど一緒の大きさになるという絶妙な問題を考え出した人は誰だと思いますか。

それは、あの『不思議の国のアリス』の作者、ルイス・キャロルです。

その著書のほうがあまりにも有名になったためにすっかりこのような数学の問題はかすんでしまっていますが、彼はオックスフォード大学で26年間も数学の教鞭をとった、れっきとした数学者であり、また論理学者でもあったのです。

だからこのような問題を考えたとしても、不思議ではありません。知頭力が働いていた証拠です。

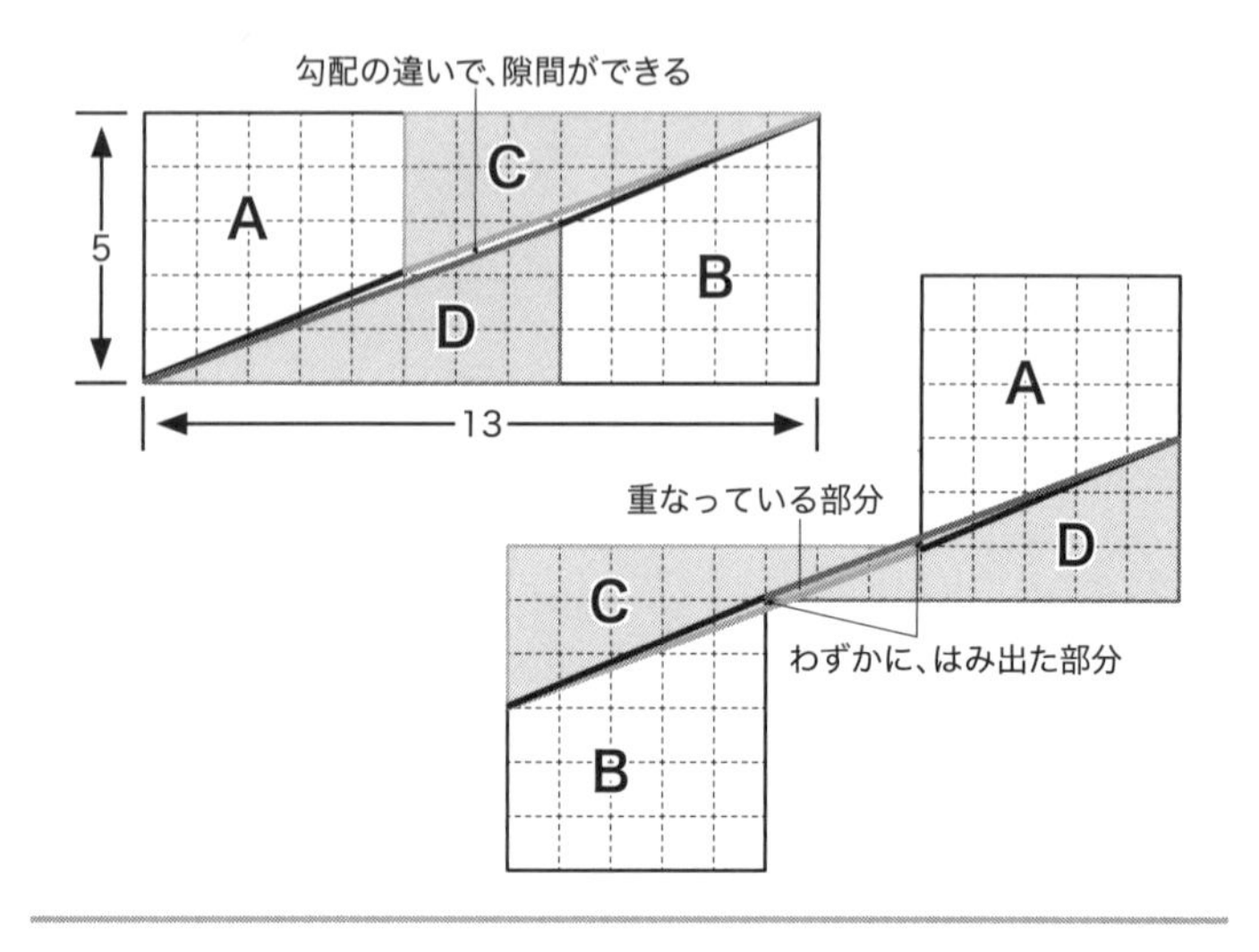

第5章

世界の第一人者が教える知頭力①
「思考力と創造力」の身につけ方

●思考力、深く考える力を培い、身につける方法

脳の発達の歴史から見て、AIコンピューターはサヴァン脳の領域にあるため、各界第一人者の強調している「考える力」と「気力」、いわゆる「内オデコ」の働きを発揮できません。

だから容量として500年分以上の朝夕刊の情報が収まり、また神経細胞のネットワークによる高度な精神活動ができる人間の脳をもっとこの分野で駆使し活用しなさい、とAIがうながしていることになります。

この「考える力」と「気力」については、第一人者が強調しているだけあって、その中身には大いに参考になるところが多々あります。思考力、創造力、洞察力……などは、すべてその基盤となっているものが「考える」ことです。

ではまずはその中の思考力から見ていきます。

考えること、思考に関しては専門用語を使ったロジカル・シンキング（論理思考）やクリティカル・シンキング（批判的思考）などの解説書も多く出ていますが、本書では難しい言葉の使用は避けて、池上彰流にわかりやすい説明を心掛けます。

ビル・ゲイツがよくいっている言葉に「常に深く、よ～く考えよ」がありますが、多くの第一人者の事例から脳が深く考えるモードに至る原点を探ると、どうやら「疑問」という脳活動が大きな位置を占めているようです。

つまり、「なぜ」「どうやって」「何だろう」といった「疑問」から「考える力」、その脳の「知りたい」というハングリーな疑問が起点となり、そこから思考が始まって成熟していくというパター

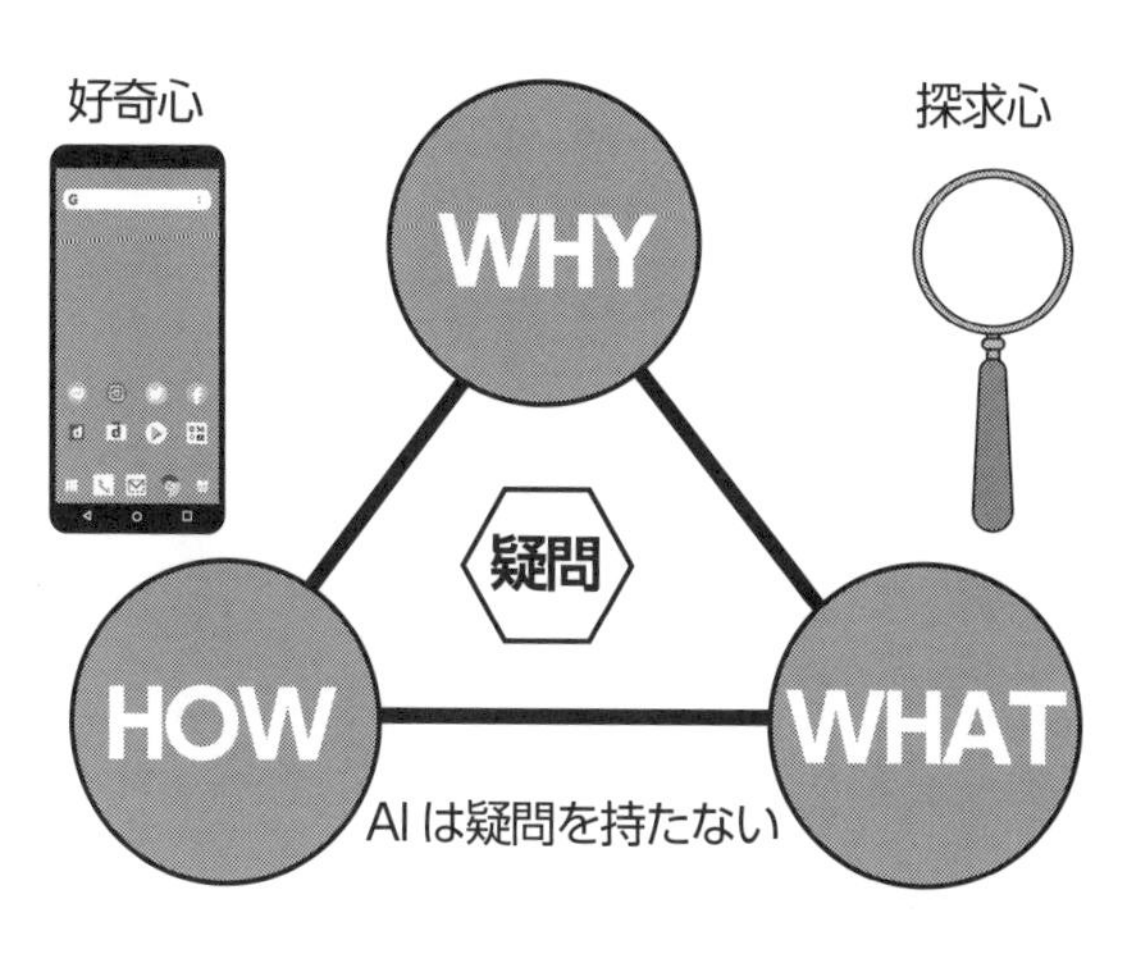

思考力の原点は疑問をもつこと

ンです。

前章のユダヤ人の家庭教育を思い出してください。そこでは盛んに疑問を投げかけ、子供に「考えさせる日常」の起点にしていました。

人間に限らず「何だろう?」の行動は、哺乳類が一般に見せる好奇心とも密接に関係しているようで、特にこの行動は赤ん坊の初期のころから散見されます。

そして脳の発達とともに少年のころまでには、「なぜ」「どうやって」「何だろう」といった好奇心の根源にある「知りたい」を追求する疑問がひんぱんに顔を出すようになり、そこから深く考えるという「思考」につながって、結果、大きな成果となる例が多くあります。

アインシュタインはこんなことをいっています。

「私の一生は光の研究に費やされた。そもそも私が光の世界に入っていったきっかけは、16歳だった少年のときの、たったひとつの疑問、『鏡を手に持って光速で飛んだら、はたして自分の顔は鏡に映って見えるのだろうか』だった。

　自分の前にかざした鏡も光速で前に飛んでいるので、自分の顔から出た光は鏡には届かないのではないか。（中略）私には特別の才能などというものはない。ただ非常に好奇心が旺盛なだけ。疑問を持ち続け、好奇心を失ってはならない」と。

　アインシュタインの深い思考力は、16歳のときの疑問が引き金になっていたことがうかがえます。

　また『ファーブル昆虫記』を著したファーブルも、次のようにいっています。

「子供のころ、私はフンコロガシが糞をころがすところを見るのが大好きでした。
・なぜ糞を巣に運ぶのか。
・なぜ巣の場所を覚えているのか。
・どうして逆立ちして運ぶのか。
　そしてハチが麻酔を仕掛けて、餌を生きたまま巣に運ぶということまで、発見できました。少年時代の『なぜ』『どうやって』という謎解きに向かう好奇心や探究心が出発点でした」と。

少年時代のアインシュタイン

好奇心を思考と観察に
向かわせたファーブル

ノーベル賞受賞者の
山中伸弥

ファーブルも、当初の「疑問」が引き金となって好奇心が湧き、そこから思考と、より深い観察に向かっていることがわかります。

山中伸弥（やまなかしんや）ノーベル賞受賞者も「実験をすると、まったく予想していなかった結果が起きる。すると、なぜそんな結果が出たのか、疑問、好奇心、興味が湧いてくる。

そこでさらに違った角度からの思考を進める。そんなことを繰り返してきました。

今の受験システムは教科書に書いてあることや先生がいったことに疑問を差し挟むと、その人は入試にパスしない仕組みになっています。

しかし、研究はまったく逆で、教科書に書いてあることを疑う、先生がいったことを疑う、研究も思考もそこからが始まりです」といっています。

このように第一人者のメッセージには疑問、謎解きから、この好奇心という言葉が盛んに出てきます。

2021年、真鍋淑郎（まなべしゅくろう）ノーベル物理学賞受賞者も、本当の研究の醍醐味（だいごみ）は好奇心、それが研究の原動力になったと、やはりcuriosity、つまり好奇心という言葉を何度も何度も繰り返し使って受賞インタビューに応えていました。

また2022年ノーベル生理学・医学賞受賞者のスバンテ・ペーボ博士も「研究を突き動かすのは好奇心」と語りました。「なぜ」「どうやって」「何だろう」と、その謎解きの「知りたい」という好奇心は、つまり「疑問」が源泉になっており、そこから思考や研究が始まっていることがよくわかります。

●謎解きの好奇心や探究心による思考力

この疑問、知りたいという好奇心や探究心から考えることが始まり、いかに脳を活性化し、それまでとは違う思考力の世界に導くかがよくわかる事例をここで3つほど見てもらいます。

(1)堀川高校に新設された探究科

筆者は拙著の『成功者の地頭力パズル』(日経BP社刊)の中で、「考えることの重要性」としてこの京都市立堀川(ほりかわ)高校のことを紹介しましたが、ここで改めて更新した内容を見てもらいます。

この高校では1999年、「すべては君の『知りたい』から始まる」という生徒向けの強いメッセージでもって、毎週2コマの2つの学科、「人間探究科」と「自然探究科」を新設しました。

それは生徒自らが自分の本当にやりたい課題を設定し、研究を進めるという、その名の通りまったく大学受験の目的とは関係のない学科でした。

ところが研究を続けていくうちに、生徒たちに大きな変化が現れてきたのです。自分から興味を持ってやりたいことができるわけですから、それがモチベーションとなって、熱の入れ方などの姿勢にも大きな違いが出てくるようになったのです。

さらに卒業後もその研究を進めたいと、研究に必要な実験設備が整っている、あるいは関連の研究室がある特定の大学を目指すようになり、研究を進めている過程で関連するいろいろなことを知る必要が出てきて、専門以外の英語や国語なども熱心に勉強するようになったのです。知りたいから対象分野が広がり、自然と思考の世界へと誘われていく様が、ここに見て取れます。

それは「以前のように、勉強しならんいう義務感がのうなった。しんどいけど、勉強っておもろい！」という生徒の言葉にも反映されています。

ここで当初、受験が目的で設立した新設学科ではなかったというところが肝心な点です。毎年240人が卒業する中で、国公立大学の合格者数は6名どまりでした。

ところが新設学科のもとで3年間学び、はじめて卒業生を出した2002年には、いきなり106名もの国公立大学合格者を輩出（はいしゅつ）したのです。

これは激的な変化と断言できます。しかもこれが一時的なものではなく、卒業生が241人と変わらない中で、2023年には東大と京大だけで42人の合格者を出しているのです。

しかしここで大事なことは、大学の進学率の云々（うんぬん）ではなく、思考力によるその変化がはっきりとわかることです。つまり学校にくる「大学に入って、探究基礎でやったことが本当に役に立ちます」といった卒業生からのメールから、思考の延長で社会に出たのちに世の人々に役立つ人材に育っていくと思われる様が見て取れるからです。

(2)「なぜ」の自由研究

かつお節はなぜ踊るのか？　あなたはわかりますか。このなぜはそれまで学者たちの研究テーマに働いた傑作な疑問といえます。

　これは夏休みの自由研究コンクールで小学6年生が発表し特別賞をもらった題材で、やはり「なぜ」という疑問がきっかけで実験を繰り返し、そこに考えるという思考力が培われていく様が見て取れます。

　この研究は「どんな料理にかつお節をかけると踊るのか？」を出発点として、途中いくつかの仮定と思考を試みながら「冷たいものの上では踊らず→熱いフライパンの上でも踊らず→その熱いフライパンに少し水を注ぎお湯にしてその上にかつお節をのせた金網を置くと踊り出し→その湯がなくなってしまうと踊りを止め→また少しお湯を注ぐと踊り出し、お湯がなくなるまで踊り続ける」という過程を経て、最終的に「かつお節が踊るのは水分の吸収と蒸発を繰り返しているから」ということを突き止めたというものです。

お好み焼きの上などで、かつお節は踊るような振る舞いを見せるが…

　これをかつお節の細胞レベルで見ると、はじめに湯気から水分を吸収しながら膨張して動き、次に加え続けられる熱によってその水分が蒸発して再度縮む、という変化が繰り返し起きているということがわかったわけです。

　この「なぜ」「どうやって」「何だろう」の疑問を解いていく探究心とともに、その過程で思考力が培われていき、やはりここでも、やがては世の中に必要な人材に育っていく原点が見て取れます。

(3)落ちこぼれ? でも、世界にこんなに役立っている

このあと、第8章の「学歴はしょせん紙切れ。学問なき経験は、経験なき学問に勝る」でも見ていただいきますが、世の中に役立つことを成し遂げている人たちの成果は、必ずしも学歴や学校の成績とは比例しているとは限りませんでした。

ここに現・岡山大学の宮竹貴久教授の足跡を紹介したいと思います。

教授は子供のころにめばえた虫の生態への関心が高じて、受験勉強はどこかにいってしまい、大学の共通一次試験の偏差値は39・5、英語は200点満点で65点、志望大学はすべてD判定という無惨な成績でした。こんな成績だった人が、なぜ大学の教授にまでなり、しかも今や世界的権威の仕事までするに至ったのか。

志望校に対してD判定の結果でしたが、それでも二次試験が生物だけだった琉球大学に合格し、卒業して沖縄県庁に職を得ます。しかし配属先は、農家を育成する農業改良普及員。

でも虫との縁は切り難く、仕事を終わってからの自由時間はすべて虫のことばかり。そして所長にアピールすること3年もかかって、ようやく1972年から21年間も続くウリミバエ害虫根絶プロジェクトへと人事異動に成功します。

そこで放射線を利用して子孫を増やせなくした害虫駆除の仕掛けを使い、年を決めて順ぐりに各島丸ごと一気に根絶に取り組み、21年続けた1993年、遂に沖縄全島からこの害虫根絶に成功したのでした。

これによってそれまで禁止されていた沖縄産ゴーヤやマンゴーの本土輸入が解禁となりました。

「死にまね」をするコクヌストモドキ

こうしてこのプロジェクトは本土の人々に対して大いにお役に立ったわけです。

しかし彼の貢献はこんなところだけに留まらず、かのファーブルもできなかったことをやってのけるのです。

ファーブルが昆虫記の中で、「擬死」、つまり死にまねは、生物が陥る一種の仮死状態であり、しかしそれは適応的な意味はあるのか、と疑問を投げかけただけで終わっており、以来、百余年が経っています。

害虫絶滅プロジェクトを成功裏に終えた彼は、このことに気づく知頭力が働いて、和製ファーブルとなるのです。つまり「なぜ」を追いかけるわけです。

「虫の死にまねが生き残りに本当に役立っているのかをちゃんと立証したデータが、まだ世界のどこにもないことに気づいたんです。今この瞬間、世界でこのことに気づいているのは私だけなんだと思ったら、ワクワクですよね」と。

そしてコクヌストモドキという昆虫を一匹ずつ擬死するまでの時間の長さを計測し、20年にもわたり順次交配、育種を重ね、捕食者であるハエトリグモを入れて観察をすると、死んだふりをする系統と、しない系統とでは、ドーパミン関連遺伝子群に大きな差があり、そこに「死にまね時間の長さ」を制御する遺伝子群があることを世界ではじめて突き止めたのです。

彼はいっていいます。「この研究をやり始めたころは『そんなことをやって何になるんだ』と、よくいわれました。でも、世界で誰もやっていないことを公表すると、人類の知識がひとつ増えるわけじゃないですか。それは、小さくても大事なことじゃないかと思い続けてやっていましたね。小さな分野でも、その道を極めてトップランナーとして走ると、見えてくる世界が違ってくるのです」と。

その内容が有名な『Nature』誌に掲載されると、これまで生物の教科書に載っている「昆虫の死にまね」の項目は2ページだけだったのが、一気にひとつの章にまでなったのです。そして今や、害虫を撲滅した過程を参考に、コロナウイルスの根絶に向けた新たな貢献へと向かっているところです。

教授の生き方からまず学ぶべきは、どんな小さな分野でもまずナンバーワン、あるいはオンリーワンになること。そうすることによってまったく新しい世界が見えてくるということです。

最初は自分の意にそぐわない状態でも、自分はこういうことをやりたいんだということをアピールし続けていれば、結果的にはそれらが全部つながって世の中の役に立つ結果を生むことになるというよい例を示しています。

知りたいとの好奇心に端を発し、昆虫オタクともいえる少年は学校の成績とは関係なく、独自のねばりで自由研究を突き詰めていった結果、今や論文の英語も自分で書き、そして何より世界レベルでの貢献に日夜精を出しているということです。

ここで見た自由研究などというものは、ＡＩには最後までできない分野であることは間違いありません。

アインシュタインやこのあとの創造力の項で出てくるエジソンも、彼らの自由に研究した結晶が世の中に多大な恩恵をもたらしています。

日本の学校の現行の授業では受け身・受動式の一方通行型であるため、子供たちが自発的に考えるという形態の授業時間はないと思われます。また日本の試験はその典型例で、答えがすでにあり、考えるという内容の問題ではありません。思考力が培われないのです。

始まったAI世紀で、今、この「知頭力」を持った人材が一段と必要となってきたその入り口にいます。

1947年に制定された学習指導要領で、小学4年生から6年生まで毎週2〜4時間の正規授業としてあった自由研究という時間は、2年間続いただけで、72年も前になくなってしまい、今、かろうじて夏休みの課題として残っているくらいです。

ようやく新学習指導要領のもと2022年度から探究型学習が取り入れられましたが、対象はまだ高校生だけで、多感で好奇心や探究心が旺盛な小学生や中学生にこそ、この自由研究の機会を広げられることが望まれます。

すると授業を受け持つ先生方の負担がますます増えるという話になるかもしれません。採点の基準や公平性の問題他、諸々の問題点を次々と挙げられるかもしれませんが、これは価値観の受け止め方次第です。

先生方もお子さんをお持ちか、これからお持ちになるかもしれません。始まったこれからのAI世紀に、彼らをたくましく生きていける子にしたいか、あるいは今のままほうっておき、行く末、

ＡＩに使われるような人間として他国の後塵(こうじん)を拝(はい)する子供や孫たちの親になるか、子供を育てるという観点から、それこそ先生方だけでなくみんなで知恵と工夫をこらして乗り越えていかねばなりません。

もちろん学校教育だけに任せているだけではダメで、前述したユダヤの家庭のように、家における日常生活の中で、親はどれだけでも子供たちに考える機会を作ってあげることが大事です。

この意味で、「なぜ海の中で昆布のダシが出ないの？」「なぜニワトリは首を前後に振りながら歩くの？」といった素朴な疑問を毎週投げかけ解説していくＮＨＫの番組「チコちゃんに叱られる」は、家庭で思考力を育(はぐく)むきっかけとなる秀逸(しゅういつ)な場と思われます。

では、次に創造力に移ります。

●創造力を培い、身につける方法

創造とは今までにない新しい「価値」を生み出すことで、そこには常識にとらわれない発想や工夫が生きています。第一人者の体験やメッセージを見る限り、その創造力、つまり新しい「価値」を生み出す力の源泉は、大きく次の４つの分野に分けられそうです。

１つ目は前述と同じ「なぜ」といった疑問に起因するもの、２つ目は危機感に起因するもの、３つ目は強い問題意識に起因するもの、４つ目は体験に起因するものです。では以下、順にそれら４つを見ていきます。

(1)「疑問」が源泉

思考の源泉だった「疑問」が、また創造力の源泉でもある例としては、生涯に1300もの発明をして「発明王」と称されているトーマス・エジソンがよい例です。

エジソンは幼い頃からこの「疑問」を持つ好奇心旺盛な少年だったことが、小学校にあがって、「なぜ、なぜ」と先生を質問攻めにし、そのためにわずか入学3か月で退学させられてしまったことからもわかります。

エジソンは学校にはまったくといっていいほどいっていないということです。その3か月の中で算数の授業中、教師が粘土を使って「1＋1＝2」を教えていたところ、エジソンが「1個の粘土と、それに1個の粘土を合わせたら、大きな1個の粘土になるのに、なぜ2個なの？」と質問したり、なぜ物は燃えるのかを知りたくて、藁（わら）を燃やしているうちに学校の納屋に延焼してしまう事件を起こしたりで、とうとう「他の生徒たちの迷惑になる」といわれて退学です。

好奇心が並外れていた
少年期のエジソン

幸い元小学校の教師であった母親は、とりわけエジソンの発する「なぜ？」を重要視し、彼が理解するまで徹底的に家で教える個人教師となり、また自分がわからないところは、エジソンと一緒になって調べ、エジソンが不思議に思うことは何でもふたりで話し合い、自然とエジソンの考える思考力や創造力が伸びていく環境を作っていったわけです。

この母親の子供に対する育て方は、ユダヤ人の家庭に似ていると思いませんか。さらにこの知りたいという疑問が詰まった好奇心で読書欲まで駆り立てられ、そこで字も懸命に覚え、12歳ころまでにはニュートンの『自然哲学の数学的原理』やロバート・パロットの『自然科学の学校』、さらにはギボンの『ローマ帝国盛衰史』といった社会史の本まで読みあさって、それら科学の原理から社会の原則までもが一体となって、社会人となったエジソンの研究が開花していくわけです。

エジソンの疑問が探究心へとつながり、それが創造力の原点ともなっていることは、アメリカで1093件、他の国でも1239件、合計2332件という、飛び抜けて多い特許数からもわかります。

子供は本来、好奇心が旺盛で、「疑問」は「思考」だけでなく、「創造」のきっかけともなっていることから、もしもあなたが親御さんで、少しでもお子さんから疑問の言葉が出たら、「しめたっ!」と、これであなたの明日は和製エジソンや和製アインシュタインの親になると思っていただき、ただちに支援の手をさしのべてください。お願いします。

またノーベル賞受賞者の利根川進（とねがわすすむ）も、記者団の質問に答え、アイデアの湧く源泉についてこんなことをいっています。

「丸暗記方式では、分析能力や考える力がまったくといって養われない。そこからは絶対に発明・発見・オリジナルなアイデアは生まれてこない。『なぜ』とか、『どうやって』とか『なんだろう』という疑問の徹底分析だけが究極的に生み出せるものだから。

研究は、「なぜ?」と不思議に思う気持ちが唯一の動機。何かの役に立てようとはじめから考えていたわけではない。研究をしているときは、数学の問題やゲームを解くのと近い感覚だ。しかし基礎科学の研究は歴史的に見ても、必ず人間に役立っている」と。

では次に「危機感」が源泉に移ります。

(2)「危機感」が源泉

クロネコヤマトの宅配便とアサヒビールのスーパードライ、これら日本初のビッグな創造はいずれも危機感から生まれたものです。

まずはクロネコヤマト。1919年、東京・京橋で設立された大和運輸(現・ヤマト運輸)はその後、三越家具配送、宮内庁御用達(くないちょうごようたし)、東京―横浜間の日本初トラック定期便、進駐軍の御用達、国際航空輸送協会加盟と、破竹の勢いで日本一のトラック輸送会社に成長します。

しかし、その座にあぐらをかいて長距離運送の免許を取らずにいたところ、それまで鉄道輸送だった貨物便が1965年から次々と出来上がる高速道路輸送にシフトされたため、1973年ころには、西濃(せいのう)運輸、日本通運、日本運送の後塵を拝して業界4位にまで転落してしまいました。

1971年、父の跡を継ぎ2代目社長になったばかりの小倉昌男(おぐらまさお)は「もはや、他社を追い抜くことなどとんでもない、追いつきさえもできない。このままいったら会社は潰れてしまう」とのせっぱ詰まった危機感に襲われるのです。

それまで業界の、楽でおいしいマーケットは大口顧客、大口荷物、市街地でした。だから手間とコストばかりかかる小口顧客、小口荷物、住宅地には、どの運送業者も見向きもしませんでした。

しかし小倉社長は発想をがらりと変え、この小口マーケットへのチャレンジを試みるのです。ここが知頭力の働いたポイント、気づきです。

あなたは今日の状況を知っているから、当然と思われるかもしれませんが、しかし当時のトラック運輸業界はこのおいしい大口マーケットで充分潤(うるお)っており、立ちふさがる壁、つまり手間のかかる集荷、無数ともいえる小間物の仕分け、狭い路地裏への配達といったことを考えただけでもコストばかりかかり、赤字になることがわかっている市場に好んで乗り出すような業者などなかったのです。

しかしそのポイント、気づきとは、マーケットつまり市場の大きさです。大口企業の数よりも個人数、大口荷物数よりも小口荷物数、市街店舗数より個人住宅の数のほうが圧倒的に多いことを考えれば、トータルでの売上は比較にならないほど大きいということになるわけです。

負の部分としての小口マーケットだけしか頭になかった当時は、このプラスの部分の大きさまでは考えに至らず、見過ごしていたということです。今やヤマト運輸の2023年3月期の売上高は1兆8000億円という「超」のつく大企業にまでなっています。

この壁を破るシステム化、効率化の追求の末、今日を勝ち取ったのは、小倉社長の危機感が出発点で、そこで小口マーケットのパイの大きさに思いを寄せた知頭力による知恵と工夫を重ねた結果もたらされたものです。

次にアサヒビール。1949年当時、ビール市場のシェアは大日本ビールが75%、キリンが25%で、その後、過度経済力集中排除法により前者は日本ビールとアサヒビールに2分割され、日本が

39%、アサヒが36%となり、アサヒは業界2位でした。

しかし以降、年を経るごとにアサヒのシェアは下降を辿る一方で、とうとう1985年には9・6%と10%を割るまでに凋落し、後発のサントリーが9・2%と肉薄してきた中で、4位にまで転落の危機、瀬戸際へと追い込まれたのです。

そこで業績が傾きかけたころ、住友銀行から派遣された村井勉社長は、負け犬根性となってしまっている社員の士気を上げようとの意識改革からいろいろな手を打ちました。

そのうちのひとつが、ビール、バヤリースオレンジ、エビオスなどについて、社員を対象にしたアンケート、自社製品信頼度調査でした。結果、ビールだけが、営業部門の評価点よりも開発部門の評価点が低いという異常な結果が出たのです。自分たちで開発した製品を、他部門の人間よりも悪い評価をする例などどこにもありません。

そこで市場に出るまでの過程で、開発部門が自ら満足する製品にはなっていないのではないかとの観点から、あえて飲料界のタブーだった「従来の味を変える」というリスクにチャレンジするのです。

9か月ほどかけて作った試作品は15種類ほど。その中から重役、味見の専門家たちが「これだっ」と選んだのが、「コクとキレのASAHI生ビール」でした。

社運を賭けて従来のラベルまでも変え、大々的な宣伝や100万人試飲キャンペーン、生産20日以内出荷と店での4か月以上の在庫は回収というフレッシュローテーションと、従来とは変えたあらゆる手を打ち、肝いりで発売したのです。

しかしそれにもかかわらず、売れ行きは期待するほどではありませんでした。これほど力を入れてやったのに、なぜ、いまいちなのか、何がダメなのか、何か間違ったことがあるのか。

ここに至って村井勉の後任で社長になっていた樋口廣太郎（ひぐちひろたろう）の知頭力が働くのです。それは若手の開発担当研究員がいっていた「社長！　こっちのビールのほうがいいと思ったのに！　どうして、こっちを選ばなかったんですか？」という言葉が脳裏に残っていたことでした。

そこで気づくのです。せっかく味を変えようとした製品なのに、実は変わっていないのではないか、と。つまり製品を選ぶ重役や味見の専門家たちが替わっていない以上、彼らの趣向で選んだ味は従来のものとさして変わってはいないのではないか、ということに気づいたのです。

そしてもうひとつの気づき。それは市場を代表しているのは重役や味見の専門家たちではなく、その若手の彼らではないのか、ということです。当時、戦後派はすでに60％以上になっていました。

そこでその若手開発者がいっていた試作品を限定品として、1987年3月、試しに彼らと同じ戦後派が多く住んでいる東京の新興住宅地域・多摩地区で売り出してみたのです。するとすごい反響で売れ始め、その後わずか2年の間に全国区となり、1989年のシェアは1985年の9・6％から倍以上の15・2％も上乗せした24・8％という驚異的な数字をたたき出したのです。

以来、老舗のキリンも負けじとさらに知恵をしぼり、結果、ビール業界は発泡酒、第三のビール、ノンアルコールビール等々、ジャンルの違う種類の製品を続々と開発して、消費者にとっては選択肢の広がるありがたい市場となってきました。

味を変えるとはどういうことかに気づいたのは、やはりこのケースでも知頭力でした。

クロネコヤマトもアサヒビールも、AIには真似のできない気づきという知頭力によって、新しい創造の世界が開かれたことがわかります。次に「問題意識」が源泉に移ります。

(3)「問題意識」が源泉

本田宗一郎はこんなことをいっています。

「困って苦しまなきゃだめです。知恵を出すには努力がいる。その努力とは、困って困って苦しみ抜くことである。絶体絶命のときに出る力が本当の力なんだ。窮地(きゅうち)に立ったとき、背水(はいすい)の陣(じん)に追い込まれたときに、人間は本能的に知恵を絞り出し、そこから活路を見いだすもの。人間はやろうと思えば、たいていのことはできるんだから」と。

さらにこの究極に当たるメッセージを、オロナイン軟膏やオロナミンCで知られる大塚製薬の創業家・大塚正士(おおつかまさひと)はこんなふうにいっています。

「我々は囚人からも学ぶべき点が数々あると申しておるのですよ。お金と囚人は入ったときから出たい出たいと考えているのです。昔は、死刑囚や無期懲役者は、脱獄のために人間の頭脳知恵で考えられる限りの手段・方法を考えて実行に移しているわけです。死刑囚や無期懲役だからできることです。

これが2年や3年で刑期満了、出獄できることが決まっている男には考えもつかないことですよ。世の中すべて教師ですからね。自分が無期懲役とか死刑囚で服役したと考えればどんな苦労もできますし、どんな手段・方法でも考えられるというのです」と。

もちろん脱獄は許されることではありませんし、無期懲役や死刑の囚人がみな脱獄を考えていたわけでもないでしょうが、ここでは、人は追い込まれるほど知恵が湧いてくるという教えとしてとらえていただきたいと思います。

AIには行き詰まるなどという場面は起こり得ません。それゆえに斬新な知恵も湧かないでしょう。問題にぶつかり、行き詰まって、困って困って苦しんで、その問題意識が高まってくると、そこで感性が研ぎすまされ、普段見過ごしているものも突然、気づきに変わり、解答が見えてきて、これまでには考えられなかったような大発明、大発見という創造につながるといった事例が多くあります。

ここでその中からふたつばかりの例を選んで見てもらいます。

(A)神社の鳥居

(B)小田原ちょうちんと風船

この2つは、何の変哲もない普段見るものばかりでそのままです。しかし大きな壁にぶつかり困り苦しみ果てたがゆえに、それぞれの問題解決策を気づかせてくれたヒントになった事柄です。皆さんはこれらが重要な創造、大発明品に結びつき、世界初の製品になったことなど、まったく思いもよらないことと思います。では順番に見ていきます。

(A)神社の鳥居――ハードロックナット

スペースシャトル、NASAのロケット発射台、新幹線、英国・台湾・中国・ドイツの高速鉄道、フランス、ポーランド、チェコの鉄道、明石海峡大橋、瀬戸大橋、ロンドンブリッジとそれぞれに使用され、新幹線の16両編成には2万本、羽田空港の新しい滑走路に４００万本も使われているハードロックナットは、振動に対して、どれだけゆるまないでいられるかを調べる世界一厳しいＮＡＳＡの耐久振動試験をクリア、標準ナットがものの20秒も経たないうちにゆるんでしまったのに対して、ハードロックナットは1時間以上もゆるまなかったのです。

ネジなどとはまったく関係のないバルブメーカーで設計技師として働いていた若林克彦は、27歳のとき大阪の国際見本市で展示者が宣伝用に無理やり渡された、ゆるみ止めナットの見本を持ち帰ります。

家で見て、こんなに複雑なら高くつくはず、板バネを使えば、簡単な機構でもっと安くできるはずだと直感。そして板バネでボルトのネジ山をはさみつける方法「Ｕナット」を開発して１９６１年独立。

10年ほど業績が順調に伸びるも、１９７１年にスチームハンマーでコンクリートパイルを打ち込む杭打ち機を作るメーカーから、「なんや！　絶対にゆるまへんのと違うんか！」と厳しいクレームが飛び込んできたのです。あのガッガッガッと音をたてる杭打ち機の振動があまりにも激しいための結果でした。

その1件だけあったクレームが気になって我慢ならず、もんもんと苦しみ考え続けること2年。そして１９７３年、自宅近くの住吉大社の大鳥居を見上げたとき、ここでハッと気づき、彼の感性に引っかかる知頭力が働きました。

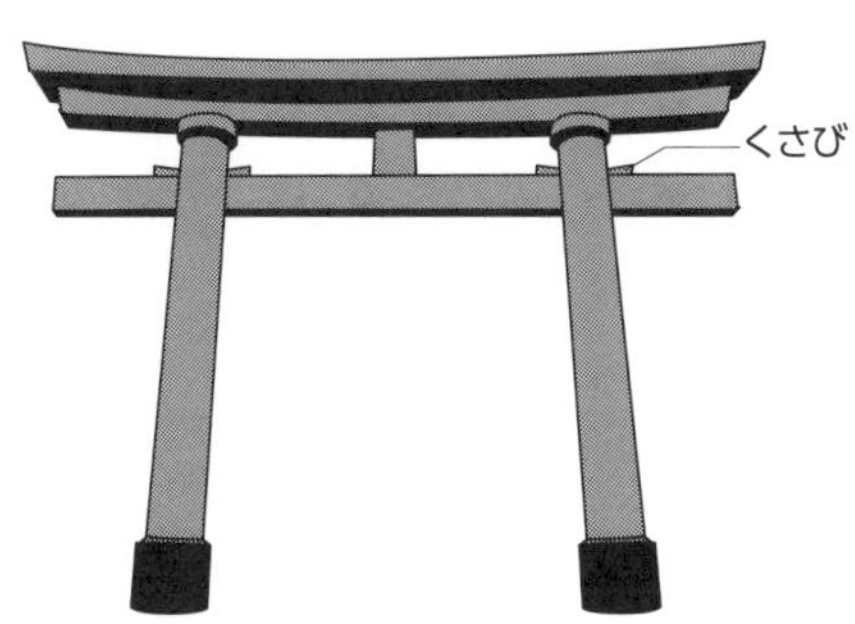

絶対ゆるまないナットの発明にインスピレーションを与えた鳥居のくさび

鳥居に滑り止めに打ち込んであるくさびを応用すればどうかと。しかし、ただネジにくさびを打ち込むだけならこんな簡単なことはなく、それではネジを傷つけ二度と使えなくしてしまいます。

決してゆるまず、さらにネジを傷めずに取り外して再び使用もできる方法はないか……と、知恵を絞ること1年。そこでできたのが、使うときはしっかりと締めつけていて、取り外しのときは簡単に外せる、くさびの発想をベースにした世界に羽ばたくハードロックナットでした。

鳥居にくさびが打ってあることなど、筆者も気づきもしませんでしたが、たとえそれを見たとしても、このようにもんもんとして問題意識を持っていないと、感性に引っかかるなどということは皆無です。

若林はいっています。

「要は心がけ。世の中の商品はすべて未完成で、ほとんどの商品は完成度が60~70%、あとの30%は改良の余地があるんです。改善すべき点があるのならば、必ず進歩した製品が作れます。

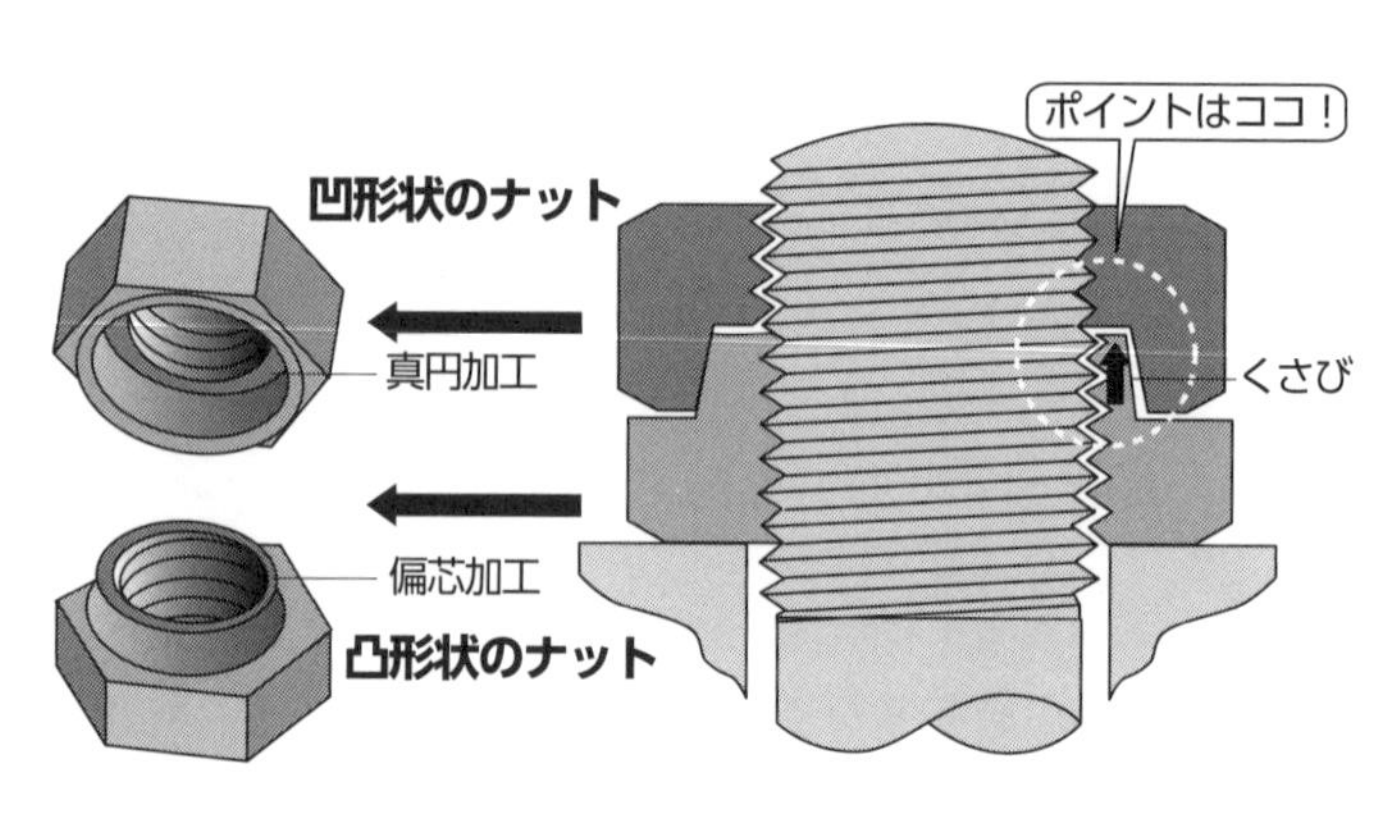

鳥居のくさびをヒントに誕生したハードロックナット

そして世の中のものは、すべて存在するものの応用やその組み合わせの作用効果によって、まったく新しいものができます。例えばUナットはナットとワッシャーを組み合わせたもの。ハードロックナットは、ナットにくさびを付け加えたものです。

Uナットは締めつけるナットが1個。一方、ハードロックは2個使わなければならない。これはデメリットですが、絶対にゆるまないというメリットのほうがはるかに大きい。これがアイデアの基本なんです。

みんな、発明は難しいというけど、決してそんなことはありません。結局は、応用と組み合わせなんです。世の中が複雑になればなるほど、応用と組み合わせに使える要素がいっぱいあるんですから」と。

彼がいうように、新しい発明品は皆すべてこの世に存在しているものにヒントを得て、それらを応用したり組み合わせたりして出来上がっているものばかりだということがわかります。

(B)小田原ちょうちんと風船——新幹線の空気バネ

1958年、当時鉄道の最高速度は特急こだまの時速110kmで、東京—大阪間が6時間30分かかっていたものを、時速250km、3時間で結ぶ建設計画が承認され、スタートしました。

パンタグラフやレール、車体の強度など解決しなければならない問題が173件もあった中で、高速時に起こりやすい脱線は致命的な問題で、それはレールの歪みにより発生するというのが、当時の鉄道マンの見方でした。

様々な分野の専門家が集められた中のひとり、松平精は戦時中の海軍に籍をおいていたとき、試験飛行中のゼロ戦（零式艦上戦闘機）に起きた空中分解は、尾翼昇降舵にフラッター現象、いわゆる強風により旗が激しくはためくように、それは激しい振動現象が発生したために起きたということを突き止めた人です。

だから列車の脱線も台車の振動により発生すると結論づけるのです。つまり、列車の脱線はレールの歪みによるものではなく、カーブを曲がるときのために車輪とレールの間にわずかな隙間を空けていることから、スピードを出しすぎるとその隙間のせいで、車輪は蛇がのたうつように横方向に振動する、いわゆる激しい蛇行動が発生し、結果として脱線につながるとの結論のもと、この問題に取り組むのです。

この蛇行動を防ぐにはどうすればいいか、縦の振動だけでなく横の振動、はじめてぶつかる大きな壁に松平の葛藤が始まります。そこで最初から振動を防ぐという考え方ではなく、振動は必ず起きる、だから起こった振動を吸収することによりその振動を防ぐという視点に立つのです。そして

そこへと神経を集中して知恵を絞ることに専念したわけです。

つまり地震を防ぐことはできないが、それが起こったときにその揺れる振動を吸収し、結果として高層建築物の倒壊を防ぐという発想と同じです。

それまで列車で使われていたのは、縦つまり上下振動を和らげる太い金属バネだけでした。困り抜く日々が続いている中で、遂に彼の感性に引っかかったのが「小田原ちょうちん」と「風船」を見たときだったと、彼は家族に話しています。

ジャバラ式に縦方向に伸縮できるちょうちんと縦横にクッションの役目を果たす風船との組み合わせで、空気を利用するというものです。空気のクッションはすべての方向の動きを吸収すると同時に、金属バネと違って、中の空気圧を調整することにより、乗客の多少に関係なく、バネの高さを一定に保持することができるのです。こうして空気を利用したバネを開発し、いよいよ時速２５０㎞の試運転の日、１９６３年3月30日がやってきました。

当日、試験車が２５０㎞を超えた瞬間、車内で計測中の関係者のみんなが歓喜する中、松平だけが真顔で見つめていたもの、それはテーブルの上に置かれたコップでした。

コップの中の水は少しも揺れていない。ここに至ってはじめて揺れの問題がクリアされたことが証明され、このあとすぐ最高時速256㎞もマークしたのでした。

この例でも、困り抜く問題意識があったからこそ「小田原ちょうちん」と「風船」に気づいたわけで、ただこれらを見ただけではこのような視点でのとらえ方ができないことをあなたも納得されると思います。

東日本大震災の起きた2011年3月11日午後2時46分18秒、東北新幹線だけでも時速200㎞以上で走行中だった列車は全部で29本もありましたが、すべてまったくの無事故でした。間もなく創業60年を迎えようとしている日本の新幹線は、その間まったくの無事故を誇っており、その技術は世界の各国に貢献してきています。

以上、「問題意識が源泉」を見てきましたが、他の人は気にも留めないことに、困って苦しんで常に問題意識を持っていると、その人だけに備わる新たな網ができて、必ずいつしかそのヒントを持っている魚がひっかかるという気づきにつながるということです。

このほかにも苦しんでいる中、サインペンはフランスパンを見て、またウォッシュレットは車のアンテナと信号機、さらにカッターナイフは板チョコ、そしてQRコードは囲碁がヒントになって誕生しています。とてもAIにはできない人間脳力です。

今日、新しい価値あるものを生み出すというときに使われるイノベーションという言葉は、経済学者・シュンペーターがその定義者として有名ですが、彼が使っている元々の意味は「新結合」です。すべてこの世に存在するものの新しい組み合わせが発明に結びついているわけですから、この言葉とその成果とはよく符合しています。では次です。

（4）「体験」が源泉

この格好の例は即席ラーメンです。その生みの親である安藤百福にとって、冤罪で2回も入った刑務所生活と厳寒で見た異様な人の列、その体験が創造の原点となっていることが、本人の著書『奇想天外の発想（講談社）』に記されています。

以上、人間パワーが生み出す創造力の源泉を見てきましたが、これらはとてもＡＩには真似のできないことなのです。

もちろん創造ということでいえば、生成ＡＩは小説や音楽、絵画までもが創造できます。しかし感性が少しでも関わる分野で人間の評価に堪えうるようなものまでには、まだまだ仕上がらないということなのです。

知頭力を鍛える問題(5)

Aがスマートフォンを操作しているとき、Bはスマートフォンを操作していません。

では、Bがスマートフォンを操作しているとき、Aはスマホを操作していない、と断言できるか。

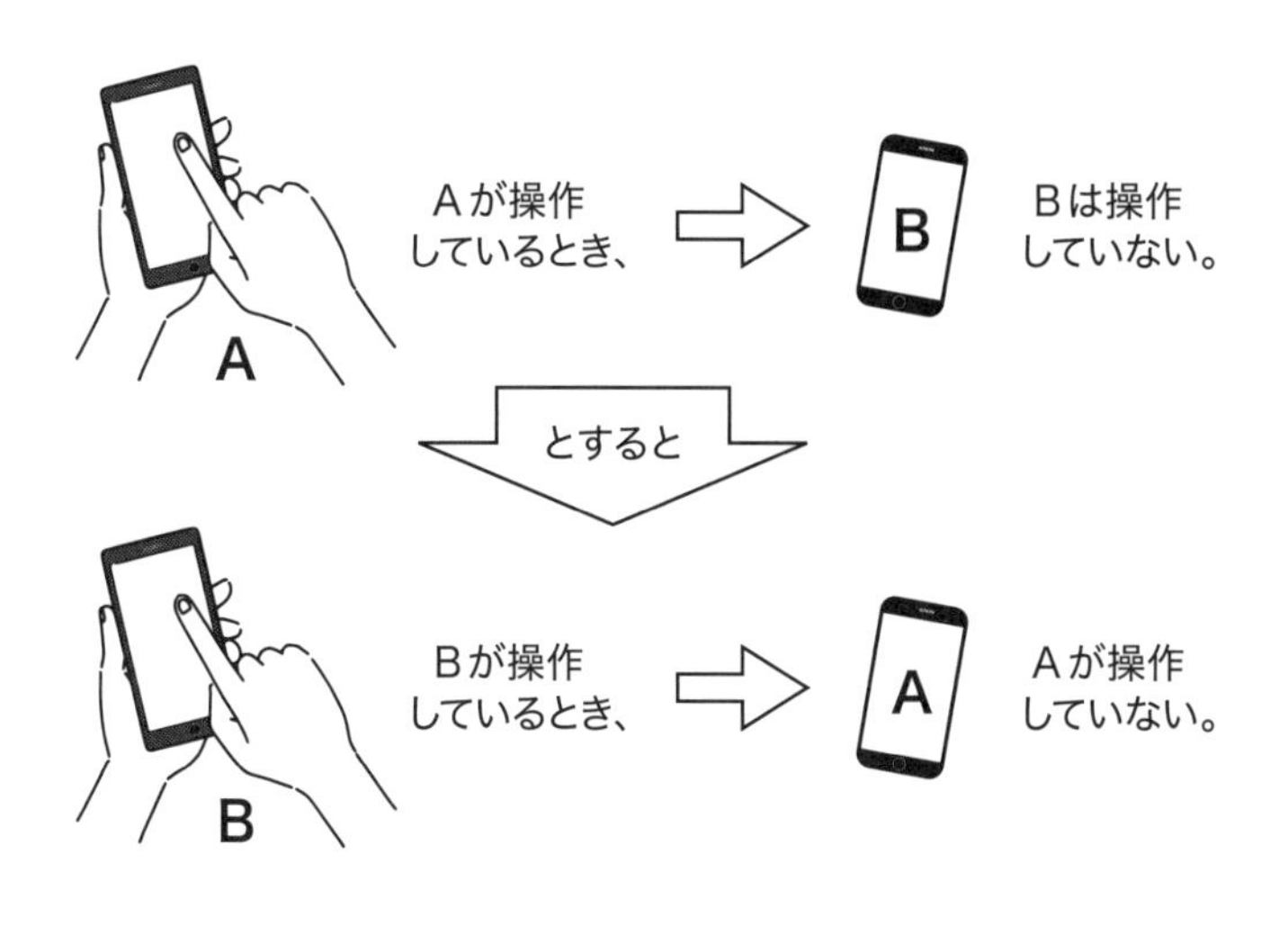

知頭力を鍛える問題(5)の答え

問題は、このふたりの状態の分け方に知頭力を働かせれば、意外と簡単に解けてしまいます。

すでにふたりの状態の分け方がひとつ示されています。その示されている状態・ケース(１)も含めて、起こり得るケースは、下の図のように全部で４つしかありません。

ここでケース(２)は設問の定義に反しているので除外。すると残りは(３)と(４)ですが、その中で問われているＢがスマホを操作しているときは、ケース(３)しかありません。従って**「Ｂがスマホを操作しているとき、Ａはスマホを操作していない」と断言できる**のです。

しかしどうも納得いかない！　と思われる皆さんもいるかと思います。というのも、もしもＡがあなたで、Ｂがあなたの友人とすると、あなたも友人も勝手にスマホを操作しているわけですから、「友人がスマホを操作しているとき、あなたは100％スマホを操作していない」などということがどうして断定できるのか！　と、なかなか腑に落ちないところが残ります。

それは、もともと設問自体が「あなたがスマホを操作しているとき、友人はスマホを操作していません」という日常起こり得ないことを前提にしているためで、それが普段の延長で考える脳を混乱させるわけです。

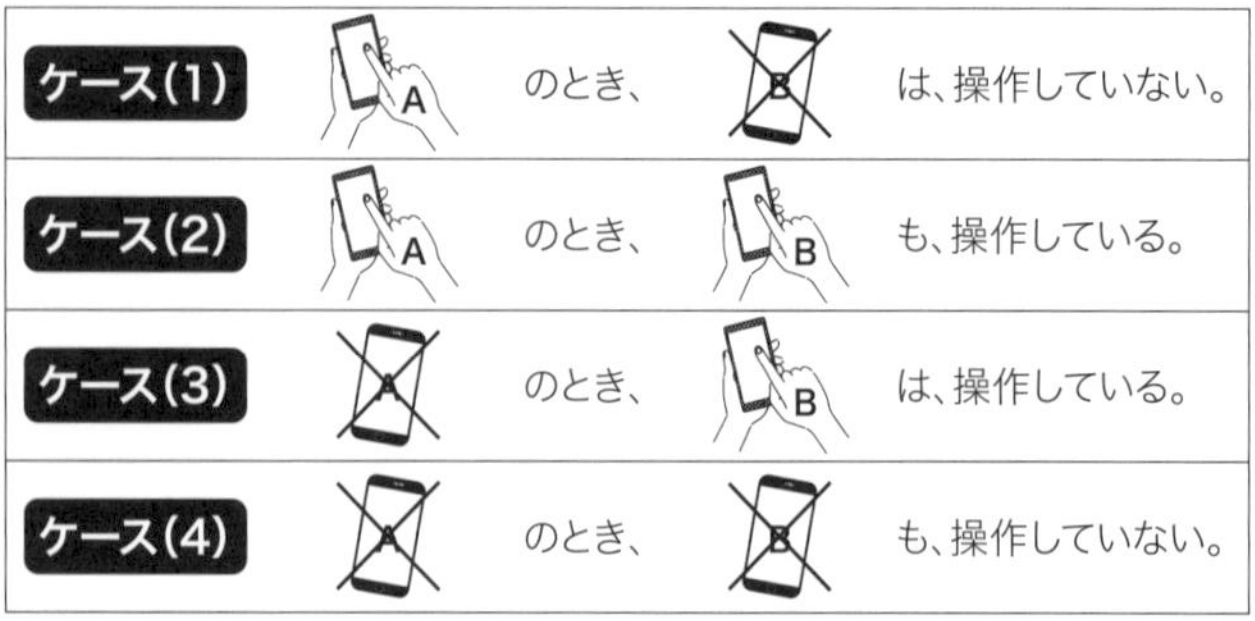

ケース(1)	A	のとき、	B	は、操作していない。
ケース(2)	A	のとき、	B	も、操作している。
ケース(3)	A	のとき、	B	は、操作している。
ケース(4)	A	のとき、	B	も、操作していない。

第6章

世界の第一人者が教える知頭力②
「洞察力、説得力、決断力、読解力」
の身につけ方

●洞察力を培い、身につける方法

前章では「内オデコ」の働きの中で、最も重要で基本的な「考える力」の思考力と創造力を見てきましたが、この章ではそれを補完する4つの力を見ていただきます。まずは洞察力から。

洞察の対象となるものは千差万別であり、その場その場でいろいろなケースが考えられますが、その意味するところは、表面的に見ていたのではわからないような物事の奥底・根底にある本質なり真実を見抜くことにあります。

この本質なり真実なりは、究極まで掘りさげた先にある真理で、普遍的なものであるがゆえに、ひとつの分野で真実であれば他の分野でも共通して真理であることから応用が利き、一芸に長(た)けている人たちはよくこの手法を使って洞察していることがあります。

次は1986年3月、将棋の米長邦雄(よねながくにお)(のちに第51期名人位を獲得)がエコノミスト顔負けの洞察力を発揮したエピソードです。

為替相場が急速に円高に傾き始めたころ、新聞社から、米長に為替相場の予測記事の執筆依頼があったといいます。米長は、専門外だからと一度は断りますが、口説き落とされ、やむなく引き受けました。

「将棋における形勢判断で何を基準にするかといえば、まず王将の周囲の守りが堅いこと、王将の命が安全かということだ。次に大事なことは駒得である。駒得とは、相手の駒を取って自分の持ち駒が増えており、優勢であるということだ。

円高に関しても同じことがいえる。安いお金で石油や穀物などがより多く買えることになる。将棋でいえば相当な駒得であり、非常に有利なことだ。私はこのとき、円高は必ず日本の経済に有利に働くと見た」

こう考えていた米長は、専門家の多くが150円を割らないと予測していた中で、150円を割ると予測したのでした。

「では、なぜ1ドル200円を切って150円まで進むと判断したのか。それは、まず現場で汗を流している人、当事者の意見をきくことが第一の絶対条件である。新聞の報道に頼ることや、あるいは大蔵大臣や日銀総裁の意見をきいたり読んだりしても、それは、何の役にも立たない。当事者とは、円高によって自分の懐(ふところ)が痛み、生活を脅(おびや)かされる者。現場、すなわち中小企業の経営者たちである。将棋なら対局者だ」

こうして米長が知り合いの中小の経営者たちにきいたところ、170円でダメという人が多かったが、150円では一様に「話にならない」と答えたといいます。米長はこう続けます。

「ここで『ああ、そうか、ならば170円前後か』と思ってしまうようではいけない。自分の頭で中小企業の社長さんたちの話を消化して判断しなければ、当事者の話をきいた意味がなくなってしまう。

私はこの急激な円高を、将棋でいえば、駒落ちの手合い、ゴルフならハンデだと考えた。

強くなった日本に、周りから『ハンデを寄こせ。ハーフで3つくらい寄こさなければ、とても一緒にはゴルフができない』といわれているようなものだ。それが、急激な円高に見舞われた日本の立場であった」

世界にとって「日本が困らなくては世界が困る」という情勢と分析した米長は、中小企業が完全に音を上げる150円を切ると予測しました。実際、それから9か月後、為替相場は予測通りに動いていったのです。

将棋界と経済界、分野は違っても駒得と現場の意見とを共通項に見立てて洞察していることがわかります。

第4章の一芸の項目のところで、ひとつの世界を極めることの重要性として第一人者は「一芸に秀でると、他の分野でも応用が利くようになる」といっている旨をお伝えしましたが、その発想の裏に論理思考や洞察力などの知頭力が働いている様を垣間（かいま）見ることができます。

それから米長はこんなこともいっているのです。

「会社の中で超エリートと呼ばれ、役員、取締役に出世しても、その業界全体が重苦しかったら、下りのエレベーターの中でジャンプするようなものである。

今、学生に人気があるような会社は、30年後には危ない。沈みゆく船になる可能性が強い。就職というのは、50歳を越えたときが勝負で、22歳で就職して30年経ったときにどうなっているかを考えることである。

そのことが、とてつもなく重大なことで、これを〝先見の明〟という。今の人気企業リストに載っている100社も、30年前には、名もない会社、あるいは人気のない会社だった」と。

2023年の世界企業の時価総額ランキング表で上位10社中、7社は1986年に存在すらしていなかった会社で、肝心な点はこの米長の言葉から30年経った2016年も同様だったということです。

将棋という経済界とはまったく異分野でも、ひとつのことをとことん突き進めていけば、その根底を流れる分野を貫く普遍的な真理、真実が読み取れるということなのでしょう。

では次に説得力です。

●説得力を培い、身につける方法

ビジネス界においてこの説得力はダボス会議の10項目の中の9番目に挙がっている交渉力と同じ能力を指していることはおわかりいただけると思います。ＡＩ世紀にはさらに重要なスキルとして求められる能力だということです。

スティーブ・ジョブズ
（写真提供：Matthew Yohe）

１９８３年、まだベンチャー企業でしかなかったApple社に、「このまま残りの一生を砂糖水を売って過ごしたいですか、それとも私と一緒に世界を変えるチャンスを手にしたいですか」といって、16歳も年上のペプシコーラ社長・ジョン・スカリーの引き抜きに成功したのは、当時28歳だったスティーブ・ジョブズです。

数ある説得力の事例の中で、とりわけわかりやすいお手本といえば、やはりこのスティーブ・ジョブズを選んでしまいます。というのもこの説得力で法律までも変えてしまったり、同じことでも他の人ではできなかった難問を解決してしまっているからです。ここではその中のふたつを取り上げてみます。

その1：1977年最初のパソコンともいえるApple Ⅱが発表されると、表計算もできることから一般のユーザーにも使われ始め、毎年倍々の売れ行きで、1982年に1年間で30万台もの売上を記録しました。

その間、ジョブズは教育の面からも役に立ち、また税の優遇処置も受けられるだろうと、全米の学校にパソコン1台ずつ無償で提供することを考えたのです。

ところが、法律上、寄付にあたって控除されるのは原材料費だけということがわかり、法には勝てないと周囲が落胆して諦める中、ジョブズはめげることなく、「それでは法律を変えればいい」と、カリフォルニア州議会に働きかけ、とうとう「子供たちは待てない法案」を通し、税制上の優遇を得て実際に9000台を配ってしまうのでした。

その2：ここに引用する内容は、前に見た創造力の欄で取り上げようとも考えたのですが、やはり説得力の凄さがきわだっていることから、ここで披露することにしました。

それは携帯音楽プレイヤーのiPodにまつわる話です。1998年、大学1年生のショーン・ファニングが大学構内のネットワークで、仲間同士、音楽ファイルをパソコンで共有できるソフトの開発を始め、翌年5月に完成して叔父と一緒にNapsterと名付けたシステムを事業として発表すると、またたく間にアメリカの大学生の間で大流行し、その1か月後には一般ユーザーが1万人にまで広がり、さらに1年後には世界で2000万人という途方もない数に急増していくのです。

ところがこのシステムは、他人のパソコンに入っている音楽を無料で自分のパソコンに取り込めるものだったため、2000年の7月、アメリカレコード協会から違法だと提訴を受けて、事業の継続停止の仮処分を受けてしまいました。

しかし仮処分の間もユーザーは増え続け、2002年6月の敗訴決定までに7000万人近くにまでふくれあがっていきます。

この仮処分の時点で、人々の求めている大きなニーズを見逃さなかったのがジョブズの知頭力です。

「これだけの爆発的人気があるのに、中止になるのはいかにも惜しい。彼らの声を聞くと、求めているのは音楽を持ち歩けることで、ウォークマンで一世を風靡(ふうび)したソニーもやっていない。だったら、著作権問題を解決すればいいじゃないか」と、またまた途方もないことを考えるジョブズがそこにいたのです。

そして彼はここからすぐにふたつのことに取り組みます。ひとつはソフトと携帯ハードの開発。もうひとつは前代未聞の音楽業界への説得です。

1つ目のソフト、つまり音楽ファイルの管理運営システムiTuneのソフト開発はお手のもので、2001年1月にはアップルのパソコンで再生できるように仕上げていますが、ハード、つまり携帯音楽プレイヤーの開発には経験者などはいなかったため99％が外注に頼ります。それでも2001年の10月にはiPodの発売というスピードで完成させています。

この外注の中で、プレイヤーの心臓部となる東芝の超小型ハードディスクは、iTuneを発表した

２００１年1月時点でまだ開発途上だったものです。

この1ドルコインのサイズで5ギガというそれまでの容量の１０００倍もある東芝のハードディスクがなければ、iPodも生まれていなかったことになります。

余談ながら、スマホのiPhone5の部品を１０００個に分解して顕微鏡で調べた結果、実に52%がメイドインジャパンでした（２０１２年10月６日朝日新聞より）。

では２つ目の説得力です。レコード界あるいは音楽界にとって、ＩＴ業界のトップが直接出向いてくるということ、しかもそのトップが著作権について交渉するなどということは前代未聞の出来事でした。

ジョブズの知頭力が働いたところは、相手が困っている課題に目をつけたところです。この課題とは世に音楽版の密輸や違法コピー行為が横行している中で、その監視や管理が難しいことでした。それを合法的に解決する方法として、iTuneの管理運営システムがあると、それまで懐疑的（かいぎてき）だった音楽版権所有会社の幹部役員に力説したのです。そして1曲当たり99セントでお客に提供し、そのうち60セントは音楽版権所有会社あるいはアーティストに支払われるという仕組みを提案したのでした。

お客は一度99セント支払えば同じ曲を何回でも自分のパソコンやiPodできけるのはもちろん、すべての動きはiTuneで管理されますから、音楽版の密輸や違法コピー行為など起こり得ません。また友達と楽曲を無料で交換することもできず、レコード会社や参加するアーティストはしっかりとした明朗な数字がつかめるということです。

ジョブズのレコード会社やアーティストへの気配り、楽曲保護への気配り、そして音質のいい形で廉価（れんか）にすぐに入手できるというユーザーへの気配りで、取り残されている人は誰もいない、四方がウインウインのすべてが合法的に事が運ばれるというこの説得、この知頭力には誰もがノーとはいえなかったということです。こんな芸当はＡＩにはできません。

このように説得力のキーポイントとなるところは、こちらのことより、まず相手にどんな利があるかをわかりやすく丁寧に説くことで、その次に誰もがその話をきいてもなるほどと思わせる内容であれば、相手もノーとはいえないということです。

このiPodは２００1年10月に３９９ドルで売り出され、ポケットに１０００曲というキャッチフレーズで飛ぶように売れました。

そしてここでジョブズの創造力が発揮されます。街の中で若者たちがiPodとともに携帯、いわゆる当時のガラケーとを、別々に煩わしく操作しているのを見て、それだったら一緒にしてしまえばいいではないか、と考えたのがまず最初のきっかけとなる発想で、さらにそれにインターネットや電子メール機能もつけ加えれば、パソコンよりも利便性に優れたものになると考え、結果、のちの世に送り出したのがスマホiPhoneだったのです。

当初iPodで用意された楽曲数は20万曲ほどでしたが、２０２1年4月以降iPhoneで、月９８０円の定額で７５００万もの曲が楽しめるようになったのです。

では、次の決断力に移ります。

●何を基準に決断するか

第一人者はその立場上、責任を一身に背負う任にあることが多く、だから必然的に決断する局面は第一人者に多く見うけられます。

ところが、その局面は千差万別です。だから決断力としてすべての場合に普遍的な形でお伝えすることができないことと、また身につけ方といったノウハウを云々(うんぬん)する類のものでもないのが現実です。

そこで、「彼らが何を基準に決断をしたのか」という観点からは、多少なりともその普遍性という点で参考になるものがあることから、その事例をここで2例ほどご紹介します。

1つ目は1956年、日本初の南極観測隊の越冬隊長を務めた西堀栄三郎(にしぼりえいざぶろう)の決断です。

初めての南極ということで万全の準備はしていたものの、滞在中、まったく予想だにしなかった難事態が多々勃発。もしも最悪なことが起こって日本に帰ることになった場合、タイミングを逃せば南極の本格的な冬の始まりで船が氷に閉ざされてしまうことから、もはや隊員たちの脱出が不可能になります。

そんな期限の迫る中、越冬を予定している隊員たちがそのまま基地に残るか否かで、西堀越冬隊長と東大教授の永田武(ながたたけし)観測隊隊長と意見が衝突したのです。

学者の永田はすべてのことを調べたうえで判断しようと主張。しかし西堀氏は意見を異にし、とにかく越冬することにまず決めてそれから手段を考えようと反論。

こんなとき世の中一般には、永田の意見はもっともなこととなるのですが、西堀曰(いわ)く、「調べてから越冬することを決めるという方法を取れば、危ないというネガティブなデータばかり出てきて、結局はやめろという結論になるに決まっている」と。

つまり、目的である越冬をすることにまず決める。それから調べる。そうすると調べる中身は、どうやれば厳冬の南極で生き抜けるか前向きの調査研究が中心になる。

つまり西堀の考えは、未知の世界へ突入するにはこの方法しかなく、いくらデータを集めて分析してみたところで、これから起こることすべてが予測できるわけがない、との観点に立つものでした。結局、この西堀案で難局を乗り越え、初の越冬実現に成功したのです。

そして西堀は「従来の教育には、『教』はあっても『育』がありません。育てるということは、『成功』の味をしめさせ、『失敗』に学ばせることです。育てる心を支えるものは、『君子危うきに近寄らず』ではなく、『虎穴（こけつ）に入らずんば虎児を得ず』の哲学なのです」と、「育てる」を基準に、チャレンジをうながし、失敗から学ばせることに重きを置いた決断をしています。

のちほどチャレンジとリスクの課題のところでも言及しますが、何か新しいことを始めるのに際して、それが「できない」という項目を挙げるよりも、「できるようにするには」に全力をあげて考えることのほうが、結局は多くの人たちに役立つことになると、多くの第一人者が口をそろえていっています。このことをこの機会にお伝えしたいと思います。

2つ目は1984年の法改正に伴う電気通信事業の自由化で、まったく通信技術のバックもない京セラの稲盛和夫が第二電電の新設に踏み切った際の決断です。稲盛は語ります。

「私はかつて米国の現地法人で長電話をする社員をひどく叱ったことがあった。ところがあとで領収書を見るとびっくりするほど安かった。その低通信コストが同国の産業活動はもとより、国民生活にも計り知れない利便と恩恵を与えていることも知った。逆に日本の電気通信事業が1社の独占で、格段に高い電話料金であることを痛感、憤怒さえ覚えたものである。

だから1984年、ようやく新しく日本の電気通信事業法が改正され、その民営化が認可されたときには、必ず国内の大企業がこぞって参入し、長距離通信料金を引き下げてくれるだろうと、大いに期待したのである。

ところが、強大NTTに対抗するには大変なリスクが伴うと考えるためか、どこもいっこうに名乗りを挙げる気配がなかった。

そこで京セラのようなベンチャーとして果敢なチャレンジ精神で身を起こした企業、さらには世のため人のために役立とうという経営哲学を実践している企業こそが、国民大衆のために乗り出すべきではないかと思い始めたのである。

そうは思うものの、通信技術のまったくない素人が通信業界に挑むのはドン・キホーテと同じ。当時、売上が4兆円以上のNTTに挑むには、あまりにも脆弱な京セラのこのような国家的プロジェクトは、とても一弱小企業の仕事なんかではないのではないかという思いがつきまとった。

しかし、国民大衆のため身を削り貢献できるというこのような分野の事業には、自分みたいな人間が最も適しているのではないかという思いも消し去ることができなく、さまざまな思いが錯綜し、悩む日が続いた。

そして毎晩就寝前、欠かさず自問自答を繰り返すようになっていた。それは、本当に国民のため、一点の曇りもない純粋な動機からだけなのか、自分を世間によく見せたいということはないか、単なるスタンドプレーではないのか、そして『動機善なりや、私心なかりしか』と、夜ごと夜ごともう一人の自分が、私を厳しく問い詰めたのである。

そうして半年近く考えぬいた末に、ようやく私自身が『動機は善であり、私心はない』という確信を得るに至った。すると、私の思い悩む心は跡形もなく消え、一転、いかに困難な事業であろうとも、これを実行しようという強い決意と勇気がふつふつと湧き上がってきたのである。

こうして事業を始めるための大義名分が定まり、自分を励ます純粋な思いも確認できてからは、その先何も恐れることがなく、会社設立に邁進することができるようになったのである」と。

このように稲盛は半年もの煩悶のあと、決断に至ったのは「動機善なりや、私心なかりしか」でした。ベースとなる考え方が、ほんとうに世のため人のためなのか、名誉欲や私利私欲の片鱗でも入っていないか、を基準にした決断です。

稲盛和夫（写真提供：Science History Institute）

このあと京セラの当時ＤＤＩ（第二電電）の他に国鉄と道路公団というふたつの超巨大企業が名乗りを挙げ、新電電は3社でスタートすることになったのですが、どうして線路や道路というインフラがすでにある相手にたいして、通信技術もインフラもないという「ないないづくし」の京セラが、その劣勢を跳ね返し、新電電3社中、最も優れた業績で先頭を走るようになったかというと、市外電話サービスに企業ではなく、個人という小口ながらも全体のパイが圧倒的に大きいビジネスへのいち早い転戦がありました。前に見ていただいたクロネコヤマトと同じです。

当初、世の中の評価は、巨艦ＮＴＴに対抗するＤＤＩ丸では、すぐに沈没してしまうだろうと見る人ばかりだった中で、稲盛はこんなことをいっています。

「人間社会の道徳、倫理といわれるものは原理原則であり、それはまた利他の心に通ずる。利他の心など、甘いことをいっていてはビジネスなどできない、という声もあるかもしれない。たしかに近視眼的に見れば損をすることもあるやもしれない。

しかし即効性がなくとも、歴史が証明しているように、20年、30年といった長いスパンで見れば、必ず帳尻は合ってくる。私心を捨て、世のため人のために良かれと思っておこなう情熱あふれる行為は、誰も妨げることができず、逆に天が助けてくれるからだ」と。

自分がやろうとしていることは私欲なのか？　自問自答して、私心でないと確信したら、あとはどんなに困難でも、世のため人のためになるはず、との信念で取り組む……。ＡＩにはこのようなことは決してできません。

では次に読解力に入ります。

●読解力を支える読書量

教育界では子供たちの読解力の不足ということが取りざたされていますが、文章を読んでその内容を理解する力を意味するこの読解力という言葉は、多くの各界第一人者のメッセージの中に一切出てきません。また必要なスキルとしてまとめられたダボス会議の10項目においても、それに関連した言及はありません。

そもそも言及が一切ないということは、必要な能力としてわざわざ強調するまでもなく、人間には当たり前に必要なことになっているからではないかと思われます。

とはいっても皆さんをはじめ、世のため人のため日本のため、何とかお役に立ちたいとの一心で本書の執筆を始めた筆者ですから、子供さんたちの問題として提起されている以上、ここで何もしないで、ほうっておくこともできません。

そこでこの当たり前のことを、「読解力不足という形で問題提起されるということ自体が問題」だとして受け止め、以下、稿を進めていこうと思います。

２０１８年10月、ベネッセ教育総合研究所が小学５年生４万２６９６人を対象に、５年生の８月から６年生になって12月までの１年４か月の期間で調査した、その読書量と学力変化の相関結果を発表しています。

それによると、このふたつの間には明らかな相関があるとの分析結果が出ています。

しかし厳密にいえば、ただこれだけでは何を読んだのかわからないので、その読書自体が直接、当該科目の学力に変化を与えたとは断定できません。

また、読書という行為と密接に関係している他の要因によるものかもしれないからです。

しかしここではっきりしているのは、その期間に、学校が用意している１０００冊もの電子書籍を１冊も読まなかったという生徒が７割近くの数字になって出ているという事実です。

読書量と偏差値の関係

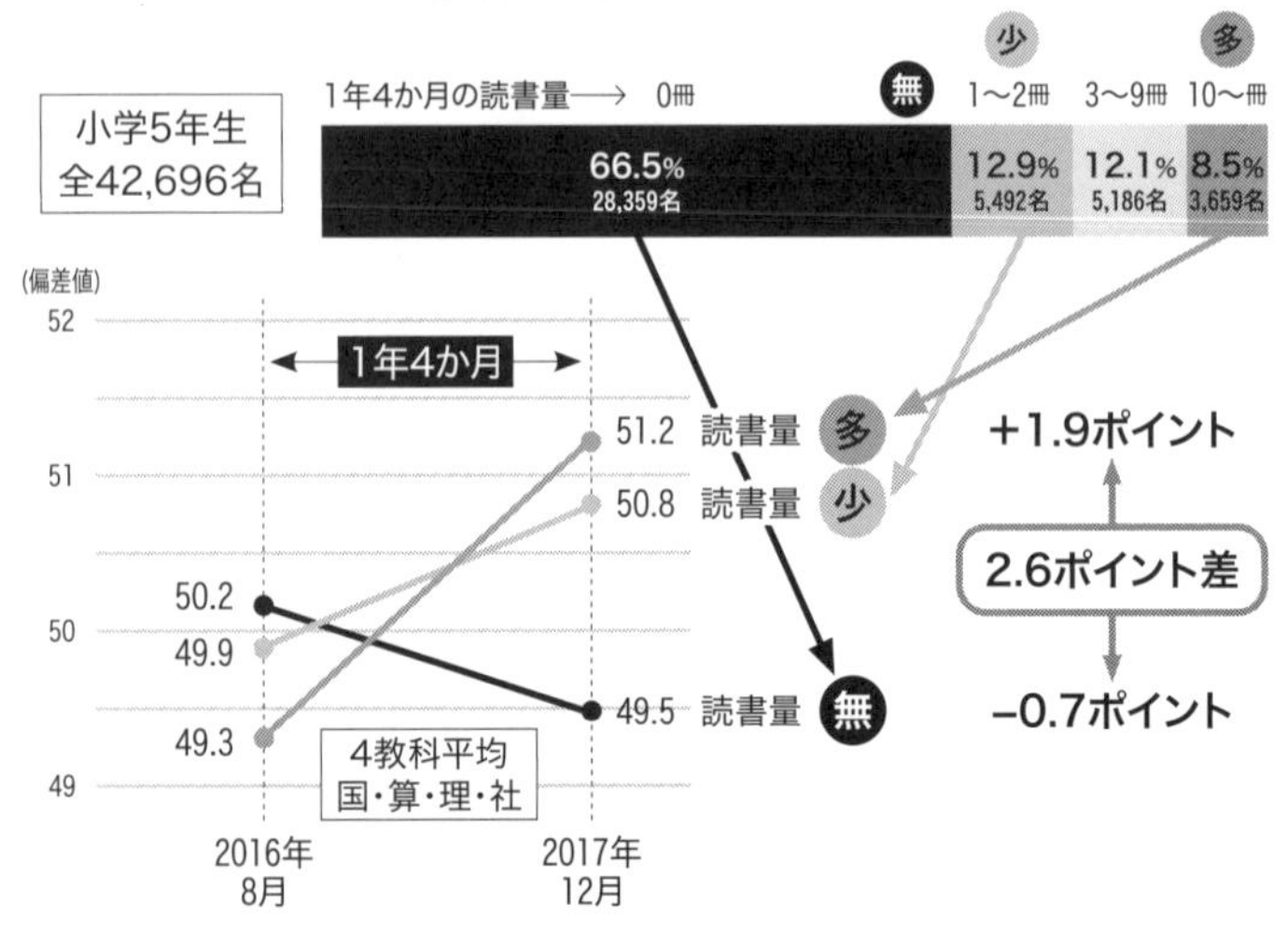

出典:ベネッセ「小学生の読書に関する実態調査・研究」(2018年)をもとに作成

書店で求めた本、あるいは図書館などの本は含まれていないので何ともいえませんが、それでもこの7割という数字は小学の高学年でも普通なのでしょうか?

不肖、筆者の私も小学生時代はマンガ本ばかり読んでいましたから、この数字に寄与する、読解力などとは縁のない組に入っていたことになります。すみません。

私事で恐縮ですが、小学6年のとき、一面いっぱいに漢字で埋め尽くされている新聞を大人たちが読んでいるのを見て、「よく読めるな〜」と思ったことを覚えています。

こんな筆者に読解力というよりも読書力がついたと思われるのは、大学時代に義兄から「社会に出るためには、とにかく雑誌でも何でも片っ端から読んでおけ」といわれたからです。

インターネットなどない時代ですから、あらゆる情報を深〜く知るためには活字からの方法しかなく、当時、細かな字がいっぱいの分厚い月刊誌『文藝春秋』をコタツに入りながら、巻頭の随筆から巻末の小説まで、わからない内容もありましたが、とにかく隅から隅まで丸1日かけて読みました。そして終わったあとは、頭がぼ～っとしていた記憶があります。

そこで、第一人者のメッセージの中には読解力という言葉が一切なかったものの、「読書」という言葉はひんぱんに出てきていますので、この彼らの「読書」という点から紐解いていくことにします。

まず今日、世に名前の知られている子供に目を移しますと、タレントの芦田愛菜さんは、偏差値70以上の慶應義塾中等部に合格したさいに「本がない人生なんて考えられないくらい読書好きです。幼稚園から小学校にかけては本を1か月に10～15冊、12歳までに1000冊以上は読んだと思います」といっています。

また、小学6年生で大学上級程度の英検1級と高校3年程度の数検準1級を取得した淵上理音さんの本棚には、高校生用の参考書をはじめ、ベートーベン、コロンブス、樋口一葉らの伝記30冊ほど、全部で500冊以上の本がずらりと並んでいました。

2例しか挙げていませんが、彼女たちは相当量の本を読み込んでいることがわかります。この読書量という点からは大きな個人差があることがわかります。

次に今は大人になっている第一人者の子供時代の読書はどうだったかを見てみますと、彼らの進路に大きな影響を与えたことがわかっている例として、吉野彰、大隅良典のノーベル賞受賞者2人は小学4年のときに、マイケル・ファラデーが子供用に科学をわかりやすく解説した『ロウソクの科学』を読んでいたそうです。

またニュース解説者などで活躍の池上彰は小学5年生のときに『君たちはどう生きるか』(吉野源三郎著)や『続地方記者』(朝日新聞社編)を、また脳科学者の茂木健一郎は小学生のときに『アインシュタインの伝記』を、マイクロソフトのビル・ゲイツもエジソンなどの伝記を小学生で、Amazon共同創設者のジェフ・ベゾスは「私が影響を受けた経営者の一人はウォルト・ディズニーで、幼いころ、彼の伝記を本当によく読みました」といっています。

●ソフトバンク創業者・孫正義の読書

これらのことから第一人者の彼らは、少年少女時代からかなりの読書をしていることがわかります。ではここで、中学2年生のときの読書が、今日の成功へと大きく導くその原点がはっきりとわかり、1冊の本でも読書がもたらすインパクトの大きいことがよくわかる事例がありますので、ここで紹介します。

それは孫正義・ソフトバンク創業者の事例で、彼自身が語る次の言葉を見てください。

「中学3年になるちょっと前、家庭教師に〝君は何か小説を読んでるか?〟と聞かれて、いやいや、小説なんて僕はあんまり読まんですけん。小説を読むなんて女みたいなこと、とてもわしはできんというと、〝いや、でも何か読むだろう〟といわれて、実はヘルマン・ヘッセの『車輪の下』を読んだことはありますけん、というと〝なんや、君は男のくせに読んでる内容が暗いな〟と。

それで先生に、〝男らしい小説なんてあると?〟ときいたら〝司馬遼太郎の『竜馬がゆく』を読まんかい。それでお前は男になれる〟といわれた。そこで〝そんなもんがあるんと?〟といって読んでみた。

それまでは小説なんて寝る前に読むと、5分でバタンキューという感じだったけど、『竜馬がゆく』を読み始めたらそのまま徹夜になっちゃって。

初めてでした。小説を一気に8巻まで何日も徹夜して読むなんて。後半の龍馬が暗殺されるところを読むときなんて、もうつらくてつらくて、涙がぼろぼろで。

目からウロコでした。歴史の教科書には2行か3行で書いてある程度なのに、こんな痛快な人物が日本におったんだ! あれだけの短い人生で、日本に大きな影響を与え、なんとさわやかで、本当に痛快な人生を過ごした人なんだ、と、ただただ感銘(かんめい)を受けたんです。

それがきっかけで、人生観が一気に変わった。これはいかん、一回しかない人生。国籍とか、差別とか、イジイジしているわしは今までなんちゅう小さい男やったかと。

彼の人生に照らしてみると、自分が情けなくちっぽけな人間だということに気づかされ、彼の志や生き方、行動や実行力に非常に感動し、私は男としての生き様を彼から学んだんです。

そして私にとっての志がこのときめばえてしまったということです。志って何だ? そのときは何を成したいか、というところまではっきり見えていませんでした。

しかし何かでっかいことをやって、人生を燃えたぎらせたい。私利私欲とか金銭欲とか、そんなことじゃなくて、何か本当に多くの人々に、あいつがいてよかったと思われるような何かでっかいこと、それを成したい、というその想いだけは強烈にめばえてしまったわけですね。私はそれまでとは違った生き方を決心したわけです」と。

江戸時代の言葉や難しい漢字が随所に出てくる8巻もの本を、中学2年生の少年がスラスラと全部完璧に読むことはできなかったと思いますが、しかしその著者が読者に伝えたい肝心のポイントをしっかりと汲み取っている点は、少年の読解力が働いていたという確かな証拠でしょう。

この読解力が本物であることは、このあとの行動にすぐ出てきます。中学卒業後、九州で最難関の進学校に合格し、高校1年生の夏休みに企画されていたのが、1か月アメリカ語学研修旅行です。

「吉田松陰先生が、わしゃ、アメリカにいく、外国にいくんじゃーっ！　といって見つかり、切腹させられた。あれほど命を賭けて見てみたいという人がいけなかった外国を、どうしても見てみたい」と、孫少年はその企画に参加。そしてオープンなアメリカに感化を受け、もはや少年は世界に向かった心で帰ってきます。

そして先生や家族が制止するのも振り切り、すぐさまその9月に学校へ休学ではなく退学届まで出し、先方でのホームステイの手続きなど準備期間を経て、翌年の2月には、まず英語力をつけるためカレッジ構内にある英語学校へと日本をあとにするのです。

「出発する前、父親が突然吐血し緊急入院するということがありました。家族は当然、私がアメリカ行きを諦めると思ったようです。でも、そのとき私は土佐藩を脱藩していく龍馬の心境でした」と、のちほど語っているのです。

さらにお伝えしたい彼ならではの読書がもうひとつあります。それは留学から帰国後、会社を設立して間もなくの1年半後、医者から生命の危機を宣告されたときで、それを次のように語っています。

「このままだと、肝硬変になる可能性が極めて高い。早ければ1、2年。遅くとも5年で肝硬変になる。5年はなんとかもたせられるかもしれないが……と、担当医から重度の慢性肝炎であることを告げられたのです。それは長くても5年過ぎれば、命が危ないということです。

会社は始動したばかり、子供も生まれたばかりで、どうしてこんな大事な時に死なければならないのか。夜、病院の個室でひとり祈り、そして泣きました。つらかったですね。（中略）

ベッドの上で他に何もすることのできない病床生活を続けるうちに、この機会は少し体を休め、たくさんの本をじっくり読んで考えてみよと、神様が与えてくださった貴重な時間、試練の場だと思うようになったのです。

そこで、歴史書やビジネス関連書などを中心に、手当たり次第、約4000冊ほど読みました。『竜馬がゆく』の本は、このときが二度目でした。今回病床で違った角度から読み返すと、改めて教えられることがいっぱいでした。

龍馬はあれほどの仕事をしたのに、31歳そこそこで死んでいる。その年まで自分はあと5年もある。その間、やろうと思えば何でもいっぱいできるじゃないか。何をくよくよしているんだ、そんな小さな器でいいのか、と自分で自分が恥ずかしくなったのです。その間だけでも力強く生きる希望が湧いてきて、僕は龍馬に助けられたのです。

そんな中でつくづく考えました。何のための人生か。そのときに、私が心の底から思ったのは、幸せとは何かということでした。

会社を大きくしていくことが幸せなのか、あるいは多く稼いでおいしいものを食べ、高価な洋服で着飾り、豪邸に住み、高級車に乗るといった、ぜいたくな暮らしをすることが幸せなのか。

でも、あと5年もつかどうか、死ぬかもしれない。そうなると、欲しいものなんてなくなるんです。

（中略）

そう思ってみると、まだ一度も会ったこともない人たちや、地球の裏側にいて、果物をかじりながら泥だらけになって遊んでいる女の子たちが、孫正義のやった仕事なり、ソフトバンクが関わったものに、ニコッとして〝ありがとう〟と喜んでもらえたとき、感謝してもらえたとき、そのときの彼女たちの笑顔を想像すると鳥肌が立ちました。このときこそ究極の幸せな思いが得られるのではないか、と。

つまり人知れず喜んでもらうことのために、自分に残された人生を過ごせたら、これ以上幸せなことはない。キザなようですが、心底、そう思ったのです」と。

その後、入退院を繰り返し、新薬の投与などが功を奏して3年半で完治。病床の初期のころに読んだ4000冊の本の中でも龍馬から受けた影響力が大きいことがわかります。龍馬が師。今でも何か大きな問題にぶつかると、龍馬ならどうするかと考えるそうです。

あと5年の命と宣告され、一時はどん底の気持ちに落ち込むものの、それを神様が与えた試練ととらえる前向きな姿勢、それがいかに大きな結果に結びついていったか、このネアカ気質が次章でメインテーマにもなっていますので覚えておいてください。

以上、読書は人生観をも変えてしまうほど、偉大な価値をもたらすことがよくわかる例として、この話を取り上げました。

またこれまで大成した事業家の中には大病をした人が非常に多いのですが、死を覚悟するその究極の体験は、何かを悟らせ、以降にふりかかるどんな大きな苦難も苦難のうちに入らなくなるということでしょう。

「世界で成功される方って、読書好きの方が多い」とは、池上彰の言葉ですが、ユニクロ創業者の柳井正（やないただし）も「僕は松下幸之助や本田宗一郎の本をほとんど読んでいます。経営ってこういうことなのか、とずいぶん教えられました。またP・ドラッカーの本を全部読破しています」といっているとおり、ビジネス界トップの皆さんは「1日4度の食事。3回は胃袋の、1回は脳みそのための食事で、食べ物は活字。専門書以外、名著や歴史書は、確実に人間の魅力を深めてくれる」といっています。脳みそも毎日ハングリーにしておき、そのための読書をきちんとするということでしょう。

ここで本題の読解力に戻って、この力の身につけ方を考えると、それには読書をすること以外にはないでしょう。

読書の実態がない中で読解力云々も何もなく、そんな状態の中で読解力の上達法を知りたいという要望があるとすれば、それは水の中に一度も入らないで、泳ぎがうまくなる方法はないかといった虫のよい話となり、そんなうまい話はどこを探してもないのです。

ひとつだけ筆者が考えつく方法は、読んだそこの中身をできるだけ絵とか図とか視覚的にしてみることはどうか、ということです。歴史的に脳にとって文字に触れるのは1万年にも満たず、逆に絵には５００万年前の太古の時代から訓練されてきていますから、一度、この方法を試してみられたらどうかと思います。子供用には絵本なるものがある通り、絵はわかりやすく脳にすんなりと入り込むからでしょう。

またお子さんが興味を示すジャンルの本ならどんどん薦めていただき、そして子供時代の第一人者がよく読んでいる伝記物もまた大人になるまで記憶に残り、人生のよい糧（かて）になると思います。

読書がいかに読解力を培うか、そのお手本をはっきりと目の当たりにできるのはChatGPTです。その無料版の読書量、つまり事前の学習として読み込んでいる情報は、新聞の一般紙朝夕刊19年分もの量で、だから何億人という世界中の人々が感心するあの応答の内容に結びつく読解力になるわけです。

ChatGPTはその膨大な読書量を一字一句忘れることなく、さらに今後も逐次情報データを学習してますます賢くなっていき、その読解力に一層磨きがかかっていくことになりますから、このＡＩの読解力には、人間も太刀打ちできないことがわかります。

しかし同時に、その読解力を大きな志に〝変換〟して、余命宣告を受けてもさらなる闘志に火をつける孫正義のようなことは、ＡＩには決してできないともいえるでしょう。

知頭力を鍛える問題(6)

大きな円と小さな円は同心円です。大きな円がAからA′まで1回転したとき、AからA′までの長さは大きな円の円周に等しくなります。このとき、BもB′まで1回転するので、A⇒A′とB⇒B′の長さは等しくなりますが、すると小さな円の円周と大きな円の円周とは等しい長さということになり、矛盾(むじゅん)が生じます。これをどのように説明しますか。

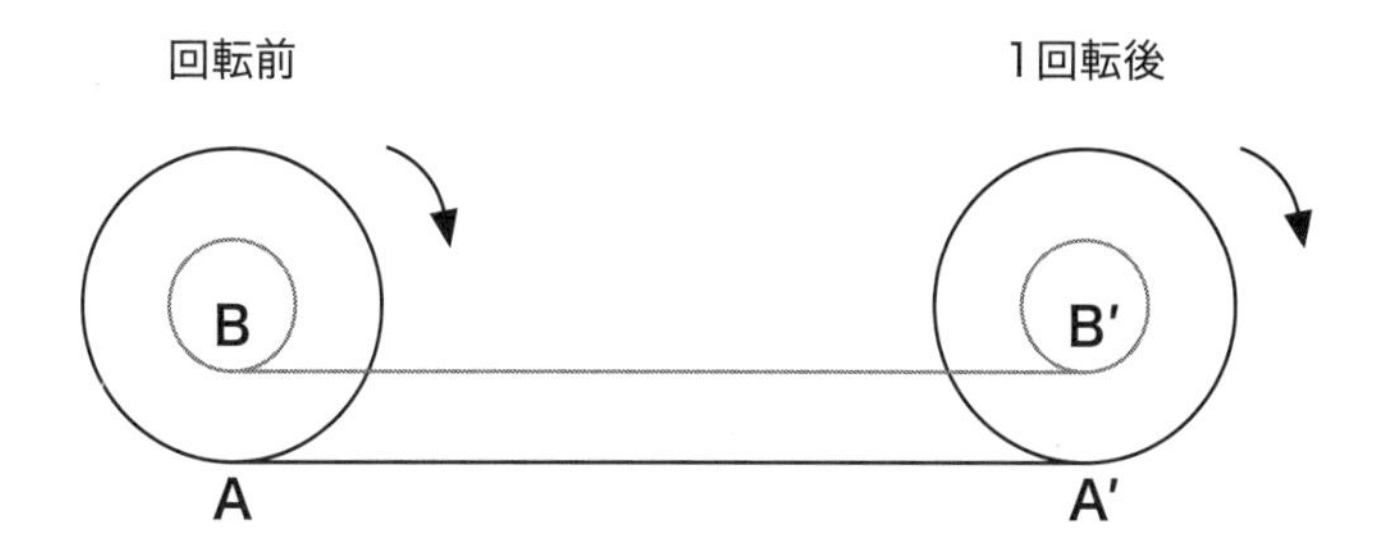

知頭力を鍛える問題(6)の答え

これは紀元前300年ころにアリストテレスが機械論の中で出した問題ですが、この問題の知頭力の働きどころは、小さいほうの円の大きさに着目することです。

どう着目するのか。それはこの円をどんどん小さくしても、問題の本質は変わらないということです。

だから、どんどん小さくして円が点ほどの大きさになっても、同じ図になります。ということは小さな円には「ひきずり」が生じている、つまりひきずられているということがわかってくると思います。

それでもなんとなくシックリこないという方は、視点を変えて着地という観点から考えるとわかるかもしれません。

下の図の大小ふたつの正四角形を右方向に転がした場合、それぞれの着地するところをなぞっていけば、太線部分になり、大きい四角形はすべての辺が着地しているのに対して小さい四角形の場合は飛び飛びになっていきます。

ではこの正四角形を超多角形にして、円に近い形にしていったらどうなるでしょうか。大きいほうの超多角形はすべての辺で着地しているのに対して、小さいほうの超多角形には、着地していない部分が残ることは想像できます。

だからこの残った空間の部分に着地部分を加えたものが、大きいほうの超多角形の全周の長さになっていることがわかると思います。つまり、**小さいほうには接地していない極小の空間部分が超たくさん集まって、それらと接地している部分の合計が、大きいほうの超多角形の全周になる**ということがわかると思います。これがガリレオの解く説明でした。

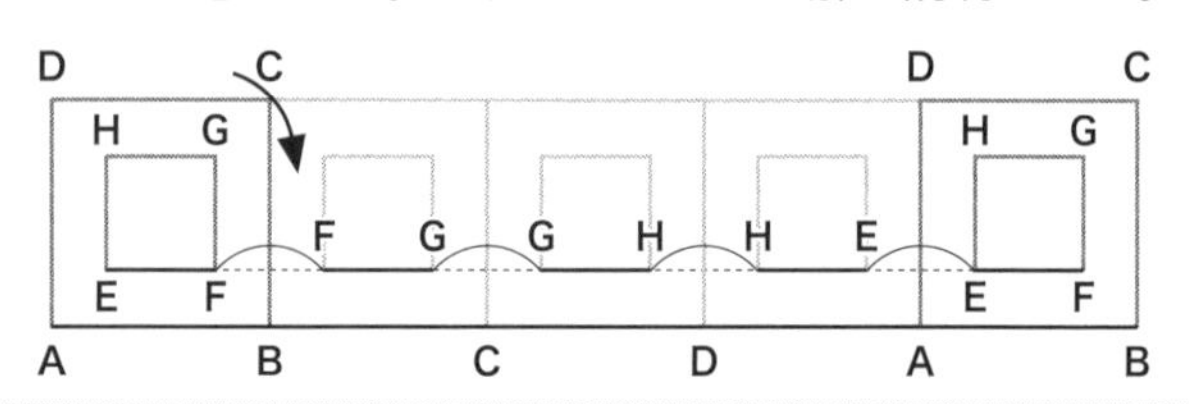

知頭力を鍛える問題(7)

A校とB校のふたつの高校で、同じ問題の数学の試験をおこなった。その結果、平均点は、A高校が、B高校より7点高かった。

ところが、それぞれ全生徒を理系と文系に分けて計算すると、理系も文系もその平均点はB高校のほうが5点も高かった。こんなことがあり得るのか？

つまり、

A高校全体(理系＋文系)平均＞B高校全体(理系＋文系)平均。

7点も違うのに、

A高校理系平均＜B高校理系平均。5点違う。

A高校文系平均＜B高校文系平均。5点違う。

という構図です。

知頭力を鍛える問題(7)の答え

この問題はまさに偏差値の意味がわかる問題です。例えば10人のクラスで100点が１人で、残りの９人が40点とすると、平均点46点となり、残り９人は全員平均点より下で成績が悪いとなってしまいます。データに偏りやばらつきがある場合、このような評価にならないよう、全員の平均が50となるように、分布を考えたのが偏差値です。


このふたつの高校ＡとＢでは、それぞれ理系と文系で偏（かたよ）りがあります。「こんなことがあり得るのか？」というこの設問の解答は、表で示した数値例の通りで、**あり得る**のです。

Ａ高校全体（理系＋文系）平均76点＞Ｂ高校全体（理系＋文系）69点と、全体平均が７点も違うのに、逆に、
Ａ高校理系平均80点＜Ｂ高校理系平均85点。５点違う。

Ａ高校文系平均60点＜Ｂ高校文系平均65点。５点違う。

という構図になるのです。

	A校　10人				B校　10人			
	点数	人数	合計点	平均点	点数	人数	合計点	平均点
理系	85 ×	4 =	340		90 ×	1 =	90	
	75 ×	4 =	300	80	80 ×	1 =	80	85
文系	60 ×	1 =	60		70 ×	4 =	280	
	60 ×	1 =	60	60	60 ×	4 =	240	65
	全体の平均点			76	全体の平均点			69

第7章

AIには真似できない
第一人者共通の資質とは

●宝の山をキーワード分析

いよいよ本書本丸の集大成、ＡＩ世紀にこそ一層活躍できるために見る世界各界第一人者の共通資質です。

「日本の練習で一番間違っているのは、皆、ノーミス、ノーミスと叫んで練習をしていることです」

これは、ラグビーのワールドカップで過去1勝しかしておらず、決勝トーナメントにすらなかなか進めなかった日本代表が、２０１５年Ｗ杯で2回も優勝している世界の最強国・南アフリカを撃破するという、スポーツ史上最大の番狂わせを起こし、世界ランクを過去最高の9位にまで日本チームを押し上げたときの監督、エディー・ジョーンズの言葉です。

あなたは、ジョーンズが伝えたい真意は何だと思いますか？　この主旨は第一人者の皆さん全員が共通して主張している本章の重要なメッセージであり、のちほどの解説で明らかになります。

またユダヤの教え、「人生で成功するための10の法則」で、筆者の目が釘付けになったという理由もこの章でわかります。

この数年、リモートワークという形で広くＩＴ化が進み、またデジタル庁も新設されました。単純で繰り返しの多い仕事や作業では、このＩＴ化にさらに拍車がかかってきます。

またビッグデータを使って「学習」「推論」「判断材料の提供」ができるようになったＡＩは、生成ＡＩという人間社会に役立つ新しいページを開き、さらに進化していくことから、その応用範囲は無限ともいえるほど広がって社会の隅々にまで浸透し、ＡＩとともに暮らす日々になります。その代替分野を「職業」「仕事」「作業」に分けて考えるとわかりやすいでしょう。

「職業」、「仕事」、「作業」
↓ AI
「学習」、「推論」、「判断材料の提供」

「士業」という職業は残るものの、こまやかな仕事や作業が激減していくということです。

それゆえ、一方ではAIがこれまで高学歴を必要としたエリート職の仕事や作業分野にまでその代替がさらに進むことは確実です。

そして今や企業の平均寿命が20年の時代に入ろうとしている中、少子高齢化で就労年齢が70歳時代などということになると、生涯、1社で仕事を全うすることは困難となり、終身雇用も年功序列も崩れ、転職が当たり前の社会になってきます。

そのためその影響を受ける当事者をはじめ、子供の進路を不安視されている親御さんたちは、ますます彼らのキャリアを考えていかねばならないことになります。

そこでこの第7章では、さらにその第一人者の宝の山であるメッセージを分析してわかった、AIには絶対真似のできない、いわば知頭力を働かせる彼らの資質を見てもらい、それを参考に世の中に評価されるような人材となって、日本だけでなく国際的にも大活躍していただけるよう願って、当章をまとめたいと思います。

●第一人者に共通する思考過程「成功チェーン」とは

分析ソフトの出したひとつの結果は、第4章の図「第一人者のキーワードの関連性」にあるような「チャレンジ・変える」というワードを中心にして、その周りを主要なワードが取り巻いている構図でした。

この「変える」という言葉には、改革、イノベーション、革新、変革、刷新、適応、対応などといった同意語が多くあり、いろいろな表現で実に多くのメッセージに出てきます。

そこで「変える」及びその同意語も含めたキーワードと一緒に多く出現する他のキーワードは何か、またさらにその何かで出てきたキーワードと一緒に出てくるその他のキーワードは何かといった具合に、分析ソフトを使ってその関連するキーワードのチェーンを順々にたぐり寄せ紐解いていきました。

すると中心にきているキーワードである「チャレンジ・変える」に密接に結びつき、ひんぱんに出てくる第一人者の成功に至る思考過程ともいえる成功チェーンがわかってきたわけです。

結果、一番ひんぱんに見られたそのチェーンは、

「チャレンジ・変える」→「リスクを取る」→「反対に遭う」→「失敗」→「夢」「ネアカ」→「忍耐」→「成功」

という流れで、さらにこの中で「失敗」→「夢」「ネアカ」→「忍耐」を繰り返し続けているという構図、成功するまで続ける、あきらめない繰り返しチャレンジのループパターンが、圧倒的多数を占めていることがわかりました。彼らはいっています。

「世の中でやりたいと思う人が100人いるとすると、その中でやる人10人、そして続ける人は1人。何事も途中で止めるのは、願望・夢が希薄な証拠。自分が認めない限り、限界などというもの

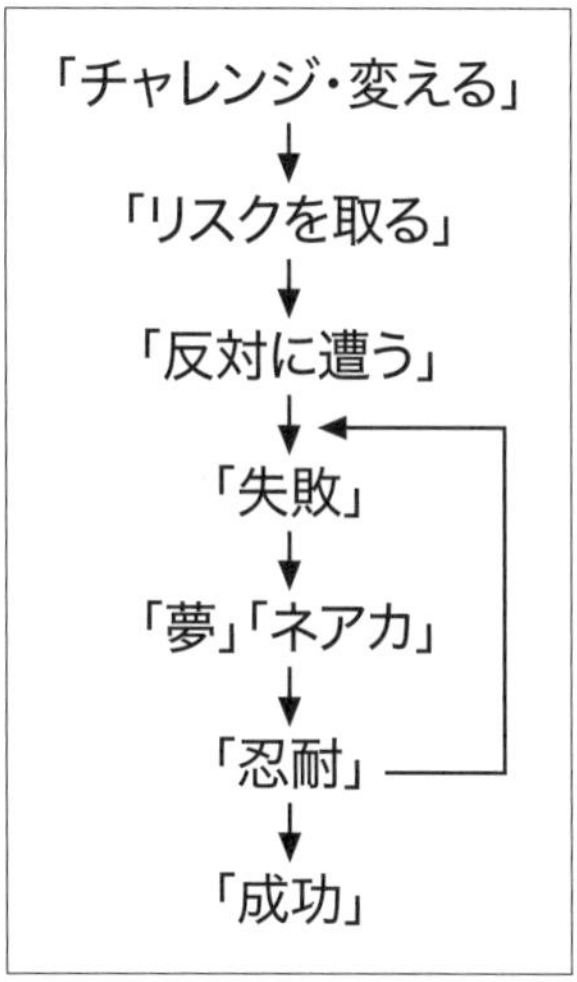

「チャレンジ・変える」
↓
「リスクを取る」
↓
「反対に遭う」
↓
「失敗」
↓
「夢」「ネアカ」
↓
「忍耐」（→「失敗」へ戻る）
↓
「成功」

はないのです」と。

この成功チェーンのすべての要素は、価値観を持たないＡＩにとって自律的にできないものばかりで、この要素の中にユダヤの教えで筆者の目が釘付けになったものがひそんでいるのですが、あなたは何だと推測しますか。

あなたが、なぜその回答を選んだのかまでを含めて、6分考えてみてください。ではここでその解説に入る前の助走に向けた稿を進めます。

そこでまず、この成功チェーンの最初の「チャレンジ・変える」から順に見ていきます。

日々、確実に変わっていくものとは時間です。だから世の中も変わっていき、それに合わせて、新製品、新企画、新サービス、組織改革、意識改革……などにより、特に変えていかなければ生き残れない競争の激しいビジネス界においては、第4章の章末において柳井正ユニクロ社長の「刺さる言葉」で見たように、チャレンジして変えるというワードが多く出てくるのはごく自然なことで、そのメッセージ事例は数百にのぼります。

しかしそれはビジネス界では当たり前だというのであれば、他の多くの分野でもまったく同じであるということをここで見ていただきます。

●「チャレンジ・変える」は、あらゆる業界が重要視

以前、政界ではオバマ大統領の「チェンジ」や小泉元首相の「構造改革」を掲げた指針、今の岸田政権も従来とは変えることに、日々取り組んでいます。

また学界では山中伸弥が『自分を変える練習』という本まで出して、チャレンジし変えることに言及しています。

さらに文芸界では、特に伝統を重んじている歌舞伎(かぶき)界でも、中村勘三郎(なかむらかんざぶろう)(18代目)が「歌舞伎界を変えたい。世襲にこだわらず、実力のある人が良い役について活躍できる世界にしたいんだ」といって、部屋子として小さいうちから歌舞伎俳優のもとで行儀作法や芸を学ばせた清水大希(しみずだいき)を2代目の中村鶴松(つるまつ)として歌舞伎界に送り出しました。

そして2007年の平成中村座ニューヨーク公演では、セリフの3分の1を英語にするというチャレンジを見事成し遂げています。

「チェンジ」をキャッチフレーズにしたオバマ大統領

またスポーツ界に目をやれば、それこそはじめて見るその走り高跳びを、「そんなのありか!」と世の中が呆気(あっけ)にとられた背面跳びという型破りの変革をやってのけたのは、15歳のフォスベリーでした。

ではそのスポーツ界で、身近にこれほどまでにと思える「変える」を実践したふたりのチャレンジ事例で見てもらおうと思います。まずはイチローです。

「僕は毎年バッティングフォームを変えるようにしています。たとえ首位打者を取ったり、誰よりもヒットを打ったとしても、次の年には必ず変えてしまう。今よりも前に進むためには、常に新しいチャレンジが必要だと信じているからです。

その結果、前の年よりも成績が下がったり、うまくいかないこともたくさんあります。まあむしろ、そのほうが多いのかもしれません。

でも、僕はこう思うんです。変化を求めて失敗することもありますが、成長するということは、まっすぐにそこに向かうことではないんじゃないか。前進と後退を繰り返して、すこしだけ前に進む。さまざまな回り道をして、遠回りに見える道が、実は最も近道であるような気がしています。後退、つまり変えることを試みて失敗しても、それは成長に向けた大切なステップじゃないかと。

世界とグローバルに闘うことは本当に厳しいことで、常に新しいことにチャレンジしなければ生き抜くことはできない。僕はそんな想いでバッターボックスに立ち続けています」と。

あまり思うような打率ではなかったときならいざ知らず、まさか絶好調のときですら毎年フォームを変えるようにしているとは驚きでした。

イチローの毎年のビデオを見てはじめてわかりましたが、メジャーにきていきなり首位打者と新人王を達成したときも、２００４年にシーズン最多安打記録２６２本を達成したときすら、次のシーズンにはやはりバッティングフォームを変えているのです。ＡＩは哲学などはとても持てませんが、イチローには哲学のようなものまで感じてしまいます。

●リスクを負わないことこそリスク

次は「リスクをとる」です。そこにあるのは、「ビジネスの世界では、何もしないことが一番大きなリスクになる」（オラクル創業者のラリー・エリソン）や、「リスクを負わないのがリスク」（マイクロソフト創業者のビル・ゲイツ）、また「リスクを取らない企業は存在意義がない。ビジネスはリスクを冒すことからしか、成功は生まれてこない」（オリックス創業者の宮内義彦）、さらには「新しい価値創造こそが、企業の存在する意義で、それらはリスクを取って挑戦しなければ得られないもの」（柳井正／ユニクロ創業者）などなど、特に実業界ではリスクを取って「変えることにチャレンジ」することが、不可欠であると訴えているメッセージばかりです。

１９６５年当時語られた「1チップ上に搭載されるトランジスタ・半導体の数は18か月ごとに倍増していく」というムーアの法則は今でも健在で、インテルの創業者で１９９2年、ＣＥＯだったゴードン・ムーアその本人から筆者がもらったレターにはこんなことが書かれていました。

インテルの創始者・ゴードン・ムーア（写真提供：Intel Free Press）

「私は信じられないくらい多くの失敗をしてきた。勇んで開発製造したものの、日本のメーカーに完全に打ちのめされたデジタル腕時計は今でも腕にしています。それは2度と同じ失敗をしないようにというのではなく、今、ちゃんとリスクを取ってチャレンジしているかどうか、次第にリスクを取らなくなる自分たちを戒めるためだ」と。

ＡＩは自律的にチャレンジしたりリスクを取ることなどできません。

変えようとするほど反対される

次は「反対に遭う」です。

リスクを取りチャレンジして変えようとしたら、必ず周りから猛反対されたという第一人者ならではの経験に基づいたメッセージが数多く出てきます。

- 「日本にいれば安泰な生活が送れるのに、年俸1億4000万円からわずか980万円になるうえ、なんでまた知人、友人のいない、しかも言葉も不自由で苛酷な競争世界に飛び込んでいこうとするのかと、31年も前にただひとりいた日本人に続き、2人目のメジャーリーガーを目指す私の夢は、関係者全員からさんざん反対された。チャレンジすれば、成功もあれば失敗もあります。でもチャレンジせずして成功はありません」（野茂英雄／元プロ野球選手）

この野茂のチャレンジによって、以降、イチロー、松井秀喜、ダルビッシュ、大谷翔平ら、続々とメジャー行きの道が開かれ、日本人のメジャーでの大活躍が花開いていったわけで、野茂一個人で日本のプロ野球界を変えるというすごく大きな仕事を成し遂げたことになります。

- 「このままではジリ貧がつづくばかり。手をこまねいているよりは、リスクがあっても小口宅配という新しいことをやってみようと思った。しかし、業績が苦しいときなのに、なんで余計なリスクを抱えるのか、と幹部全員が大反対だった」（小倉昌男／ヤマト運輸元社長）

阪急電鉄の創始者・小林一三

- 「私がチャレンジして変えようとした仕事は妙なことに、はじめからほめられたものはひとつもない。私の仕事は、始まりはみんなケチをつけられた仕事ばかりです。今の宝塚歌劇団でもそうです」（小林一三／阪急電鉄創立者）
- 「維新のころには、妻子までもおれに不平だったよ。広い天下におれに賛成するものは一人もなかったけれども、おれはただ行なうべきことを行なおうと大決心をして、自分で自分を殺すようなことさえなければ、それでよいと確信していたのさ。反対者には、どしどし反対させておくがよい。わがおこなうところは是であるから、彼らもいつか悟るときがあるだろう。窮屈逼塞は、天地の常道ではないよ」（勝海舟／元幕府幕臣）
- 「足袋作りから地下足袋へのときもそうだったが、今度は地下足袋からタイヤ作りへ転換する案のときは、まったく異分野へのチャレンジ事業ということで、皆から猛反対された」（石橋正二郎／ブリヂストン創立者）
- 「通信事業という異分野への参入案を出したら、どの役員も社外重役を含めた外部関係者も猛反対だった。何の技術も知識も設備もないセラミック事業者がやったってうまくいくはずがない、とマスコミからもさんざん酷評された。（稲盛和夫／京セラ・KDDI創業者）
- 「ディズニーランドなんて前世紀の遺物。あんな子供だましのようなものを面白がるほど日本人はバカじゃない。外国のものを日本に持ってきても、うまくいくはずがない、とその新しい挑戦は

計画段階からさんざんいわれた」（高橋政知（たかはしまさとも）／オリエンタルランド元会長）

などなど個人としても事業人としても、チャレンジして今の状態を変えることへの危惧（きぐ）する猛反対が押し寄せてくる実態がよくわかるメッセージです。

このディズニーランドなどは前述の通り、コロナ禍で臨時休業を強いられる前までの入園者数が日本の全人口の6倍以上です。計画段階で当時、さんざん酷評していた人は土下座どころではない数字です。

そんな中でこんな話もあります。

- 「修理屋なんて考えてみりゃつまらねえ。いくら修理の神様になったからといって、東京から浜松まで客がくるわけはねえ。ましてや自動車王国のアメリカから修理を依頼されるわけは絶対にないからと、私は修理屋から自動車の部品メーカーに打って出ようとした。

ところが、殿ご乱心とばかりに、そんな勝手な真似は、たとえ社長でも許せるものではないと、皆から猛反対され内紛状態のようになった。そのためか、ひどい顔面神経痛にかかってしまった。以降、医者だ注射だ温泉だと、2か月にわたる治療でも治らなかったものが、仲介者の取りなしで幹部も納得し、事業転換に踏み切ることが決まったとたん、病気はけろりと治ってしまった」（本田宗一郎）

さて、彼らはそれでも前に進むのです。そこには共通点が見て取れます。前に「日々、確実に変わっていくものとは時間です。だから世の中も変わっていき……」と、変わることを述べましたが、彼らはそこで、皆、深く先を見て行動に出ているという点で、次の「失敗」に移ります。

●チャレンジには失敗がつきもの

こうして彼らは反対の中でも将来に目を向け、果敢にチャレンジに踏み出します。しかしその結果、多数の失敗を礼賛(らいさん)する言葉となって出てくるのです。どういうことなのか。まずは、いろいろな分野の人たちのメッセージを引用してみます。

するると、そこから彼らの意図するものが見えてきます。

- 「成功率を2倍に上げたいなら、まず失敗率を2倍に上げなさい」（トム・ワトソン／メジャー大会で8回も優勝しているプロゴルファー）
- 「6年間悩んだ打撃不振が続く中、その日のボテボテのセカンドゴロになったときに、イメージと実際のフォームとを重ね合わせてみた瞬間、長い間の疑問が解けたんです。僕の野球人生の中ではじめてで、飛びあがりたいほどうれしかった。なぜ最悪のセカンドゴロが答えを？　それは思うに失敗しつづけた結果だと思います」（イチロー／野球選手）
- 「『失敗』と書いて『成長』と読む」（野村克也／野球監督）
- 「失敗することが問題ではなく、失敗を認めた上でどのようにリカバリーするかが問題なのです。私は、学生に『あなたは何回失敗する準備があるの？』と聞きます。1日が失敗だけで終わらないようにするためです。失敗のプロになれということです」（根岸英一(ねぎしえいいち)／ノーベル賞受賞者）

ノーベル賞受賞者の根岸英一（写真提供：Holger Motzkau）

• 「研究の場面というのは1割打者でも大成功だとずっと思っていて、1回成功するためには9回失敗しないとその1回の成功はやってこない、と学生たちにもいってきました」（山中伸弥／ノーベル賞受賞者）

• 「失敗はイコール敗北ではない。私は自分の体験からそう断言していえる」（注：事業に失敗して不渡りを出し、夜逃げまで考えた末、同じ事業で再起を成しとげた福武哲彦／ベネッセコーポレーション創業者）

• 「9回は失敗しなくちゃいけない。僕は失敗の連続だからね。車づくりでの失敗は成功のカギなんだ」（注：豊田自動織機からトラックの製造へと踏み切った豊田喜一郎／トヨタ自動車創業者）

• 「減点主義より加点主義。私は意識改革を進めますが、失敗そのものは責めません。むしろ失敗を恐れて何もしないことのほうが、よくないからです。私は、トップ自ら失敗して見せてもいいくらいだと思っています」（永守重信／日本電産〈現・ニデック〉創業者）

• 「成功ってのは、やっかいな教師だ。やり手を臆病者に変えてしまうから。大切なのは失敗から学ぶことだ」（ビル・ゲイツ／マイクロソフト創業者）

• 「失敗したからって何なのだ？　失敗から学びを得て、またチャレンジすればいいじゃないか」（ウォルト・ディズニー／プロデューサー）

• 「成功する人は、失敗から学び、別な方法でやり直す。飛び込まなければ何も生まれない、失敗の少なさはそもそもチャレンジが足りないから」（アンドリュー・カーネギー／アメリカ鉄鋼王）

• 「偉大な栄光とは失敗しないことではない。失敗するたびに立ち上がることにある」（ジョン・ロ

ックフェラー／スタンダード石油創業者）

- 「何もしないことが失敗。やらなければ何もわからないし何も生まれなく、やればよかったという後悔が残るだけ」（ヘンリー・フォード／フォードモーター創業者）
- 「最も良い教師とは、最も多くの失敗談を語れる教師である。人間は失敗によって大きなものを失うとしても、その都度それと釣り合うほど大きな教訓を得ている。失敗は経験であり、成功の肥料となる」（ユダヤ教典『タルムード』より）
- 「新しいことをやったら、当初、失敗して当たり前、むしろ成功のために必要なことだというのが私の考えです。1勝9敗でもいいほうです。もし連戦連勝なら、それは新しいことに挑戦していないか、設定したハードルが低すぎるか、のどちらかです。

　1勝するために9回失敗するのです。失敗の経験は身につく学習効果として何ものにも代え難い財産になります。

　失敗は単なる傷ではなく、そこには次につながる成功の芽が潜んでいるのです」（柳井正／ユニクロ創業者）
- 「チャレンジして失敗を恐れるよりも、何もしないことを恐れろ。失敗もせず問題を解決した人と、10回失敗した人の時間が同じなら、10回失敗した人を採る。同じ時間なら、失敗したほうが苦しんでいる。それが自然と人生の飛躍への土台になる。私の現在が成功というのなら、それは過去の失敗が土台づくりをしてくれたものだ。

　人生は見たり、聞いたり、試したりの3つの知恵でまとまっているが、多くの人は見たり聞い

失敗は成功への階段

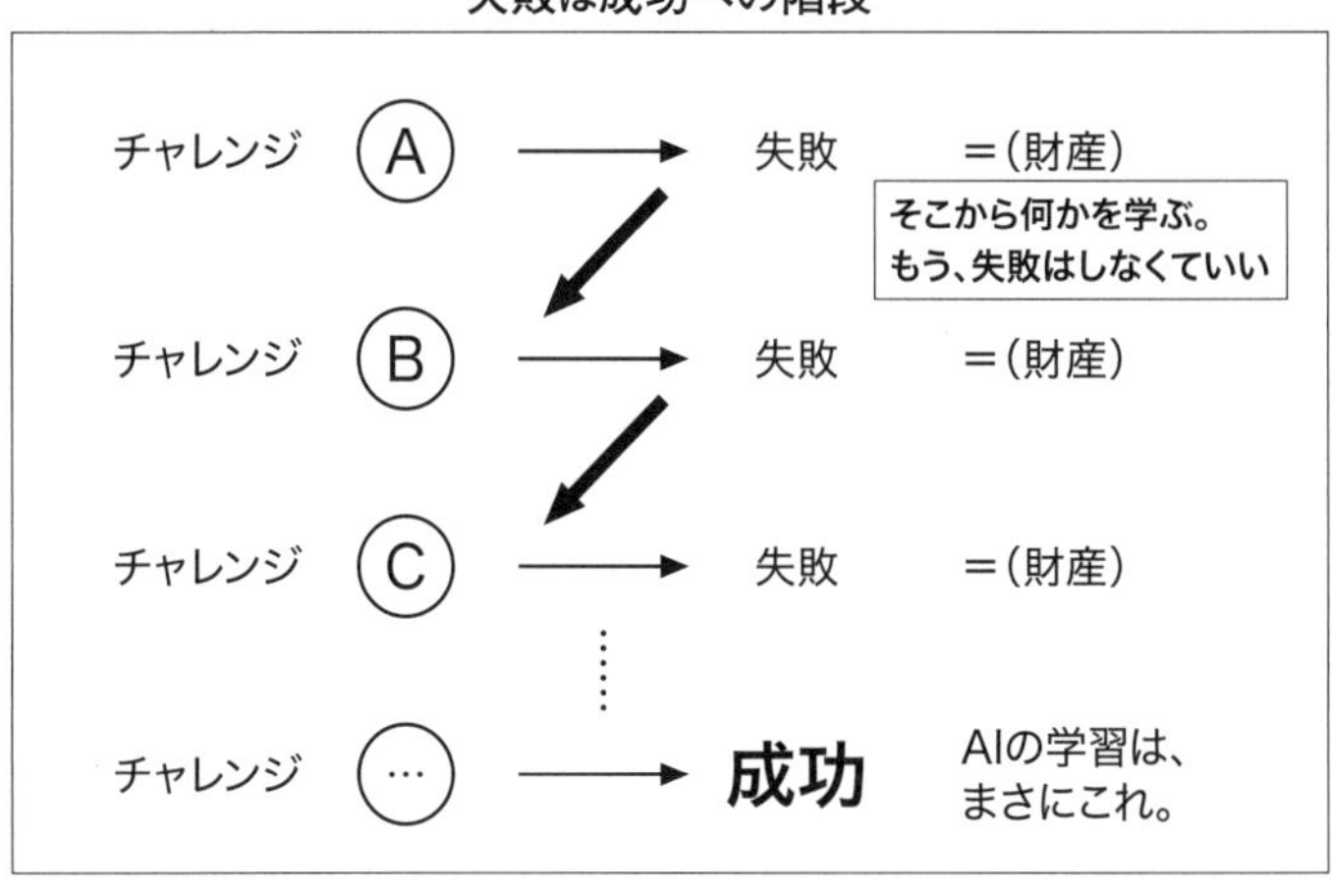

たりばかりで、一番重要な『試したり』をほとんどしない。ありふれたことだが、失敗と成功は裏腹になっている。みんな失敗を恐れるから、成功のチャンスも少ない」（本田宗一郎／ホンダ創業者）

まだまだ続きますが、この本田の「試したり」の言葉が出てきたところで、巻頭に挙げたエディー・ジョーンズが伝えたい意図とは何かを、次に見てもらいます。

・「私たちは失敗から学ぶのです。人生とはそういうものです。日本の練習で一番間違っているのは、ミスをしないように練習をしていることです。新しいことにチャレンジを試みることは練習でしかできないのです。

ノーミス、ノーミスと叫んでいますが、練習でチャレンジしミスするから上達するのです。

スポーツは、身体的なものによる部分が大きいと考える方が多いかもしれませんが、実際は、そうではありません。

考え方や姿勢など、精神的なもののほうがずっと大きいのです」（エディー・ジョーンズ／元全日本ラグビー

監督）

と、彼は攻撃や守備で新しいことにチャレンジし、試すことができるのは練習時しかなく、それをノーミスの安全策で練習するのは、本来の練習する意味がない、成功に向けた失敗も、それこそ試せるのは練習時のみだといっているのです。

これだけ多くの失敗礼賛のメッセージが第一人者に多いということは、とりもなおさず彼らこそ失敗を多数してきたという証です。囲碁でＡＩは何千万回と、人間よりはるかに多く失敗し、この手はダメだと学習しているから強くなったのです。では次の「夢」「ネアカ」に稿を進めます。

●「夢」「ネアカ」は成功へのエネルギー

ここではさらに重要なメッセージを見てもらいます。失敗は財産という観点も手伝ってチャレンジを繰り返し挑んでいく彼らの姿勢はわかるのですが、それにしても普通ならば、人間誰しも失敗すれば、そこで気を落とし落胆してしまうものです。中にはどん底に沈んでなかなか立ち直れない場合もあるはずです。

そこで失敗を財産として次に進む姿勢のほかにも、それにもめげず彼らを挑み続けさせる何かがあるのではないかということから、失敗というワードと同時に一緒に多く出てくる他のワードは何かという関連ワードの探索を進めていった結果、そこで圧倒的に多く出てきたのは、「夢」そして「ネアカ」に代表されるワードでした。

「夢」には「ロマン」「志」「願望」など、そして「ネアカ」には「楽天」「前向き」「プラス指向」

「ネアカ」
「楽天」
「前向き」
「プラス指向」
「ポジティブ」
「明るさ」
「笑い・笑顔」
…

ネアカに関連するワードは多数ある

「ポジティブ」「明るさ」「笑い・笑顔」といった同意語を含めていますが、このメッセージもたいへん多く、次にその代表例だけを挙げてみます。

- 「私ほど楽天家はいない。それが失敗の連続でもここまでこれたエネルギーになっている。楽天主義は意思の所産だが、厭世主義は、人間が自己を放棄したときである」（本田宗一郎）
- 「引きうけた信用金庫は倒産、失敗の連続でした。何とかしようと夢にすがりつき取りかかった即席麺の開発も、くる日もくる日も失敗作の山でした。それでも明るさだけは失わなかった」（安藤百福／日清食品創業者）
- 「夢を捨ててはいけない。夢を描けなければ何もできない。数多くの失敗する中で私に機会をもたらしてくれたのは夢でした」（ジョージ・ルーカス／映画監督）
- 「ちなみに私は楽天家です。だから失敗しても解決できない問題はないと信じています」（ビル・ゲイツ／マイクロソフト創業者）
- 「私は自分が売るものの将来性を寸毫も疑わず、たとえつまずいて失敗しても絶望することがなかった。マクドナルドに私が注いだ情熱は永遠の楽天主義に発するものだった」（レイ・クロック／元マクドナルド社長）
- 「男のロマンは仕事です。途中で失敗しても、前向きにロマンを追い続けることが成功に至る道です。人生は感動の歴史でつづることです」（大川功／CSK創業者）

●「技の失敗でケガをしている右足に激痛が走ったとき、その場にうずくまってしまった。試合に出ること自体無理だったのではないかと、ふと頭をよぎりました。でも自分の人生には、もうこんな機会はこないんだ、と思った瞬間立ち上がったんです。悲観を跳ね飛ばす、もともと私の楽天家の資質がいつも味方です」（谷亮子（たにりょうこ）／柔道の五輪金メダリスト）

●「事業に失敗。それまで『社長、社長』といってくれていた人たちが、あくる日からは『おい、こら』『こら福武』です。誰一人味方になる者なし。地獄を見た。もう地元を出ようと、何度も思ったことか。でもまだ前向きの考え方がわずかでも残っていたことが、今日の私に導いてくれたのです」（福武哲彦／ベネッセ創業者）

●「人間の苦悩の大部分は想像の中にあるだけで、笑って吹き飛ばしてしまえるものが多い。失敗しても賢い人は徹底的な楽天家なのである」（アンドリュー・カーネギー／アメリカ鉄鋼王）

●「私の過去は失敗の山でした。でもいつかはうまくいくことを夢みて、くる日もくる日も実験・研究を続けました。へこたれずに、崇高な夢を求めることです」（根岸英一／ノーベル賞受賞者）

●「もちろん失敗することだってありますが、でも自分には運がついていると思うことです。ネガティブにとらえないでポジティブに考えるとあきらめないのです。この考え方が一番大事だと思います」（秋元康（あきもとやすし）／作詞家・放送作家）

●「以前はほんとによく思いもよらないミスをして、塞（ふさ）ぎ込んだものです。でもあるとき、済んでしまったことにくよくよしないで前向きに考えるようになってから、すごく気持ちが楽になり自然と勝てるようになりました」（タイガー・ウッズ／プロゴルファー）

- 「真剣と深刻はぜんぜん違い、深刻になるのはダメです。どんなに失敗しても僕は明るくやっています。僕はもう超楽観主義者です」（柳井正／ユニクロ創業者）
- 「成功する人は間違いを犯し失敗することはあっても決して立ち止まることはない。神様は乗り越えられない試練は与えない。その逆境の中から何かをつかめということなんだ。常に大きく考え、大きく行動し大きな夢を見ることだ」（コンラッド・ヒルトン／ヒルトンホテル創業者）
- 「失敗は有限であるが、可能性は無限なのだという人間の楽観的な本性の力を働かせよ」（ユダヤ教典『タルムード』より）
- 「楽天主義とは失敗や困難さよりも可能性を強調する心がまえのこと」（ジョン・ロックフェラー／スタンダード石油創立者）
- 「私は性善説、私は楽観的にものを考える性格です」（孫正義／ソフトバンク創立者）

スポーツ界から実業界まで、皆、同じことをいっています。彼らが失敗してもなおも立ち向かうその背中を押しているのは、これらメッセージだけからもはっきりとわかる通り、「夢」や「ネアカ」がエネルギーとなっていることです。

この2分野のエネルギーの中でも、ここに挙げたビル・ゲイツも柳井正も、そしてまた孫正義も自分は楽天家だといっているように、彼らは本質的にネアカであり、このメッセージの多さから「ネアカ」が第一人者の今日を築きあげるのに重要な働きをしていることもわかります。

笑う門（かど）には福が来（きた）る。そうです、ユダヤの教え、「人生で成功するための10の法則」で、筆者の目が釘付けになったというその理由は、10の法則の、いの一番にずばり「笑いなさい」との言葉が載っていたことでした。

つまり、他の項目を差し置いて、そのトップに「ネアカであれ！」がきていることだったのです。

このことを知って、改めてメッセージを見直しますと、さらに意味深い内容に出会います。ソニーの盛田昭夫（もりたあきお）・共同創業者はこんなことをいっていました。

「泣きたくなるようなときも、自分はいつも笑ってネアカのふりをしている。そうすると社員に対してもお客さんに対しても、また他の人に対してもすごくポジティブないい影響を与えるんです。

それだけではなくて、そうすると自分自身がだまされるんです。するとだんだんと思考がポジティブになって、ポジティブな思考からはポジティブなスパイラルに入り、次々といい考えが出てきて、それがまた他

人生で成功するための10の法則

1）笑いなさい

……

10）知識より知恵を重視せよ

ユダヤの教えの1番目はネアカであれ、だった！

にいい影響を与えるのです。

しかしネガティブな場合は、ネガティブなスパイラルに入っていくだけで、ますます悪い方向に向かい、他に悪い影響を与えるだけになってしまうことになるのです」と。

「楽天」「前向き」「プラス指向」「ポジティブ」「明るさ」「笑い・笑顔」といった「ネアカ」、これらはもちろんＡＩには手が出ない世界です。そしてこれに関連して、もうひとつ重要なことがあります。それを知っていただくために、どうしても稲盛和夫とスティーブ・ジョブズ、このふたりの

話をしておかねばなりません。

●すべては最善に向けて起こる

・不運の連続だった稲盛和夫

次ページの図を見てください。自分より成績の悪かった生徒全員が有名中学校に合格する中、差別する担任ににらまれた稲盛少年だけ、その内申書のせいで不合格。その後何かあると稲盛だけが貧乏クジを引く当人になり「なんで自分だけが」の思いが始まります。そして就職試験もことごとく失敗。ここで稲盛青年は「自分はこの世で無用の人間ではないのか」と、仁侠(にんきょう)の世界入りまで一時考えるのです。

しかし地元大学担任のはからいで就いた就職先は再建途上の赤字会社で、同期入社の5人うち3人は入社半年も経たないうちに会社に見切りをつけて去り、残った2人とともに「自衛隊の幹部候補学校にでも入り直そう」と試験を受けた結果、2人とも合格。ところが稲盛青年にだけは、必要な書類が期限までに実家から届かず、結局、彼ひとりだけが会社に取り残されてしまうのです。

稲盛は語ります。

「ここに到って、はじめて私は深く考えた。たった一度しかない貴重な人生。決して無駄にすごしてはならない。どんな環境であろうが、常に前向きに生きてみよう、と考えを改めたのです。

この心のありようを変え、仕事に一生懸命取り組むようにしてから、私の人生は、まさに好転し

「ネアカ」で「ネクラ」だった過去が必要だったものに…

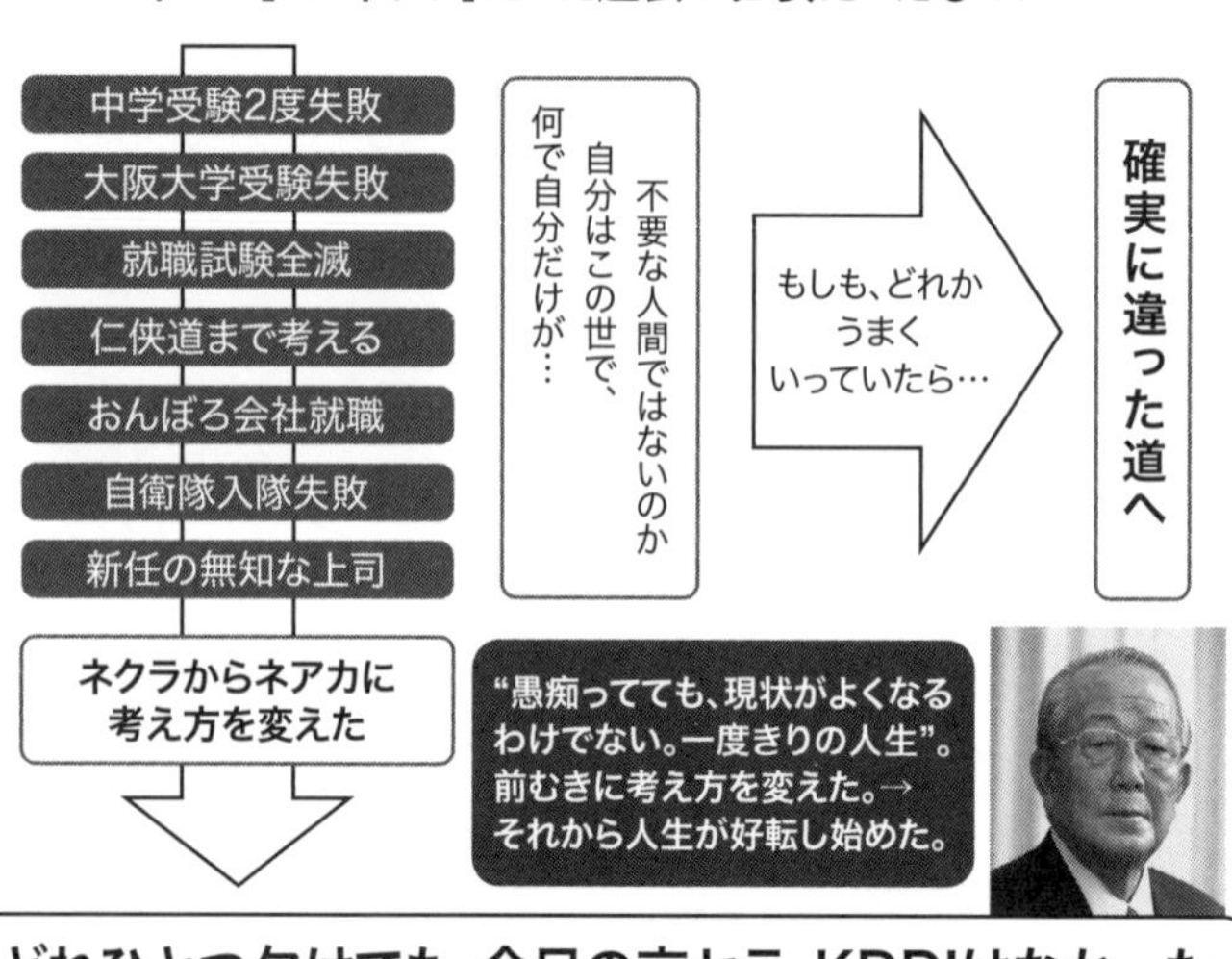

どれひとつ欠けても、今日の京セラ、KDDIはなかった

はじめ、私の運命が変わったのです。

原料を充填（じゅうてん）する際の圧力計すらない会社で、またそれを買ってほしいとはいえない新参者ゆえに、歩幅を決めて体重をかけ、それを圧力計がわりとし、コツコツ研究に集中しているうちに、次第に思い通りの実験結果が出るようになって、入社1年半後、ついに新しいセラミック材料の開発に日本ではじめて成功したのです」と。

ここで重要な話があります。過去の不都合な出来事のどれかひとつでもうまくいっていたとしたら、まったく違った道に進み、どのひとつが欠けたとしても、今日の京セラそしてKDDIはなかったということです。見方を変えれば、それらは必要だったということです。

そしてもうひとつ、それはこの過程の中に結果論では片付けられない必然性があるということ。それは、後ろ向きの姿勢から前向きに「心のありようを変えた」という、本人の「意志」がはっきりと係わっているところです。

この心のありようを変えるのに、膨大なエネルギーが要るわけではありません。しかしその中身は、人生すべてを変えてしまうような、ものすごい力を持っているということです。

またここに見るネアカの力やハートの動きは、決してＡＩにはできないということです。

・クビになったスティーブ・ジョブズ

いみじくも同じような体験を、Appleのジョブズはこんなふうにいっています。

「大学にいたころの私には、未来に先回りして点と点をつなげてみることなんてできませんでした。でも過去の出来事が、将来何らかのかたちでつながってくるのです。10年後振り返ってみると、クッキリと見えること、それはバラバラの体験がつながってくるのです。

１９８４年に最高の作品、Macintoshを発表しました。そしてそのたった1年後、30回目の誕生日を迎えたその矢先に私は自分で作った会社をクビになったんです。

そのときはわからなかったのですが、やがてAppleをクビになったことは自分の人生最良の出来事だったのだ、ということがわかってきたのです」

ジョブズは、このあと作ったＮｅＸＴ社やピクサーという会社が大成功のきっかけとなります。ピクサー社のアニメ『トイ・ストーリー』が大ヒットし、のちにディズニー社に買い取られ、またApple社はＮｅＸＴ社を吸収するとともに、すぐさまジョブズをApple社の経営暫定(ざんてい)トップに迎え入れるのです。そしてＮｅＸＴ社で開発したコンピューターの設計技術を使い、Apple社を再興させるのです。ジョブズはいいます。

「もしもApple社をクビになっていなかったら、こうしたことは何ひとつ起こらなかったのです。人生には時としてひどいことも起こるものなのです。だけど、夢や信念を放り投げちゃいけない。私が挫けずにやってこれたのは常にポジティブな前向きで、自分のやっている仕事が好きだという、その気持ちがあったからです」と。

稲盛和夫、ジョブズ両者ともに過去の不幸とも思える出来事がどれひとつとしてなかったら、今日の世の中にこれほど役に立つ事業を興し発展させることはできていなかったという事実です。

この事実が語る大事なこととは、もしもあなたに不都合なあるいは不幸とも思えるような事態や出来事が起こったら、それはのちにやってくる輝かしいあなたの人生に必要なことなんだと思うことだ、ということです。

西洋にはEverything happens for the best.（すべては、最善に向けて起こる）という格言があります。このふたりには、まさにそのことが起こったということです。

●各界の第一人者のログセとは

稲盛の「後ろ向きの姿勢から常に前向きに」というポジティブマインド、そしてジョブズの語る「常にポジティブな前向きで」という言葉、やはりここでも「ネアカ」思考が、彼らの行く末を後押ししていることがわかります。

「もしも悲観的で否定的な『どうせ……なんだから』という言葉が出そうになったら、それに代えて、すぐに『せっかく……したんだから』と、常に前向きに思うようにしている」と、世界各界第一人者は皆、口をそろえていっているのです。

また成功を手にしたリーダーには、この思考が非常に多く見られましたが、ここでふたりだけリーダーの言葉を紹介したいと思います。

•「まず最初に、よかった、よかった」と二言、いいなさい。ケガをしたときに、あ～よかった、よかった、これだけで済んでよかったと。そしてそれがあとで何かよいことをもたらすために必要だったと考えるのです。それを訓練していると、どんなことが起こってもプラスになる。身内の不幸以外であれば、99%プラス思考になれる」（羽鳥兼市（はとりけんいち）／ガリバーインターナショナル創業者、現・IDOM）。

•『ついてますか～。ついてます』と書いた小さなシールを家のいたところに貼ってある。自分に起こることは、将来すべて自分のためになることと考え、うまくいかないことも、悲しいことも、苦しいことも、将来よくなるためにこういうことがあるんだと、『ついてる、ついてる』と思うようにした。プラス思考の極致です。そしたら、本当に成功してしまった」（河越誠剛（かわごえせいごう）／寿スピリッツ社長）

ユダヤの教えのトップにきていた「笑いなさい」と、やはり多くの第一人者が強調しているこれら「ネアカ思考」、あなたの行く末に何が起ころうが、常に前向きにとらえる姿勢が非常に大切であるということを、各界第一人者たちの実態が教えてくれており、そのことをあなたに、そしてあなたが親御さんでしたら、必ず多かれ少なかれ同じような体験が待ち構えているお子さんたちに、ぜひ伝えてほしかったことから、特に紙面を割いた次第です。

以上、世界各界第一人者のメッセージ分析からわかったこと、つまり彼らの多くが事を成し遂げている背景にあった「チャレンジ・変える」から始まる彼らの成功チェーンとその中身を見ていただきました。

そしてキーワード分析で彼らが60%もの知頭力の要素を挙げていたということは、それらを成功チェーンの過程の随所で発揮していったことがうかがえ、またそれらはＡＩにはまだまだ及ばない領域の世界だということです。

そんな彼ら第一人者を調べていく過程で気づかされたことがありました。それは「本当の頭がいい」とはどういうことなのかという素朴な疑問です。

その疑問を突き詰めていった結果、改まって難しく考えることなく、あなた、あるいはお子さんやお孫さんも、彼らのように各界第一人者への道へと一歩踏み出すことができるということがわかってきたのです。

それとともにその延長で、ＡＩ世紀は日本が活躍するチャンスの時代でもあるということを次の章で見てもらいます。

知頭力を鍛える問題(8)

積み重ねると、102階建てのエンパイアステートビルと同じ高さになる枚数の1セントコインを、もしもあなたが与えられたとしたら、はたしてあなたは、そのすべてのコインを普通のひとつの部屋に収納することができるだろうか？

（注：1セントコインの大きさは、1円玉とほぼ同じで、直径は1円のほうが1mmだけ大きい）

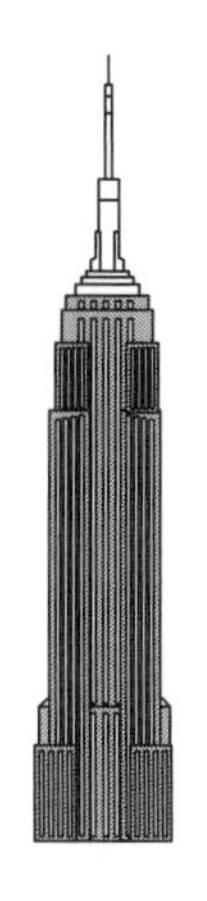

知頭力を鍛える問題(8)の答え

この問題に必要と思われるビルの高さや、コインの正確な大きさなどが出ていません。ということは、それらの数値を正確に知らなくても解けるということが考えられます。

ビルの中のオフィスにしろ、普通一般の部屋にしろ、床から天井までの高さというものは、そんなに大きな差がありません。したがってビルの1階ごとに積まれたコインの円柱を、ビルの階数だけ一般の部屋に並べていくとして考えればいいわけです。

だから10階建てビルなら円柱は10列、100階建てで100列、200階建てなら200列で、以下同様です。

並べられた円柱の底面積は、コインの直径で決まります。1セントコインの大きさはほぼ1円玉と同じとして、その直径は20mm足らずと仮定し、これを20mm四方の四角柱として計算してみますと、その面積は20×20mm^2＝400mm^{2}です。

だから例えば200階建てビルのこの四角柱が占める床面積は200×400＝80000mm^{2}となります。これをcm単位に直すと800cm^{2}となり、これはA4サイズの面積210mm×297mm＝623.70cm^{2}ほどにしかならないのです。

だからたとえ1万階建てビルの場合でも10000×400＝4000000mm^{2}で、2m四方にしかならず、コインは1部屋に十分収まってしまうことがわかります。

これで、ビルの高さや階数、またコインのサイズなど正確に知らなくても、解答にはほとんど影響しないこともわかると思います。**正解は「充分収納できる」**です。

これはGoogle社の面接試験問題ということですが、おそらくこの問題は解答に要する時間、スピード解答を見ようとしているのではないかと思われます。

第8章

学歴はしょせん紙切れ。
学問なき経験は、
経験なき学問に勝る

●凡人から天才が生まれ、天才の子供は凡人に返っていく

凡人のあなた、いや失礼しました。でも凡人と思っているかもしれないあなた。まだわかりません。天才とまではいかなくとも、これからのＡＩ世紀には、その働きや成果次第で世の中から高く評価される機会がいくらでもあるということがわかったからです。お子さんやお孫さんのある方なら、彼らにも格好のサンプルとして、このあとに掲げる各界第一人者のリストでわかります。ＡＩ世紀は知頭力の発揮のしどころなのです。

歴史的に見て天才は凡人の両親から生まれています。アインシュタインの両親はごく普通の人で、父親は羽毛寝具の店を経営、母親は専業主婦。シェークスピアの父親は皮手袋商人、数学者・ガウスの父親はレンガ職人で、彼らの母親もともに専業主婦でした。その他の例を取っても、同様の結果です。

天才の親は天才ではなかったということですから、彼ら天才の子供は凡人だということになり、実際、彼らの子供は天才にはなっていません。

だから天才は遺伝するものでもありません。

変な表現かもしれませんが、あなたがもしも凡人ということであれば、お子さんは天才になってもおかしくない。でもあなたが天才というのであれば、お子さんの天才をあきらめるしかありませんが、お子さんに天才を期待されるなら、あなたは凡才のほうがいいのです。

もしもあなたが天才には手遅れだと思われるなら、無理をすることはありません。むしろ赤飯を炊いてお祝いしてもいいかもしれません。いかがですか。

ここで、天才の定義を見ますと「天性の才能、生まれつき備わった優れた才能、生まれつき優れた才能を備わった人物」とあるのですが、生まれたときにこの子は優れた才能を持っているなどということはわかりません。

また我々が日常に使う天才とは人物を指す言葉で、それは彼らの成し遂げた成果のあとでつけられる、つまり結果に与えられる言葉です。

天才という言葉からは、「生まれながらの」という印象を抱きやすいものですが、アインシュタインの言葉、「天才とは努力する凡才のことである」が、まさに的を射ており、後天的に作られるとの内容です。

そこでここに日本のノーベル賞受賞者の言葉を引用してみます。

利根川進：「熱中していましたから苦労したという実感はありません。ノーベル賞の対象となった研究は、毎日朝の4時まで集中して何か月もやった末にわかったことで、特別な才能とか能力とかが導いてくれたものではありません」

白川英樹：「いってみれば、導電性ポリマーは触媒の量を間違えた結果、見つかったものであって、これこそ才能の有無には関係のないことを証明しています。でも、徹夜で何万回といった実験を繰り返さなかったら、発見できなかったでしょう。ノーベル賞は、あくまでもその結果です」と。

また田中耕一も「誤ってやってしまった結果がノーベル賞に結びついたことなど、本当は話したくないのですが、その発見はある拍子に本来混ぜるつもりのなかったひとつの溶液を別の溶液の中に落としてしまったことに起因しています」といっているように、失礼かとも思いますが、生まれながらにして備わった天の才能に基づく発見とは少々違うようですが、彼らにはアインシュタインの弁、「天才とは努力する凡才」を垣間見ることができます。

そこで疑問が湧いてきました。では頭がいいとは、どういうことなのか。辞書などを見ても、「頭がいいとは、頭脳明晰で賢いさま」とあり、表現を変えているだけで、これでは次に頭脳明晰とは、賢いさまとは、と同じ疑問に戻ってしまいます。

そこで一歩踏み込んで調べてみた結果、面白いことがわかってきたのです。それはＡＩにも深く関係してくることでした。

●「頭がいい人」のイメージとは

ではまず「頭がいい人とはどういう人のことをいうのか」、この疑問を小中高生から大学生の皆さんそれぞれ30人ほどずつ、そして社会人１００人ほどにもきいてみました。以下、具体的に見てみます。

まず小学生、中学生からは「勉強のできる人」という、非常に単純明快な回答が返ってきました。「じゃあ〝勉強のできる人〟ってどういう人？」ときき返すと、「試験の成績がいい人」と、言葉を代えた、これまた明快そのものの即答です。

つまり、学校で教えられたことをしっかりと覚え、それを試験に反映させている人が対象のようです。「脳の働き」という観点からは記憶力が首座を占めます。

次の高校生も、やはりこの「勉強のできる人」が圧倒的に多く、続いて「偏差値の高い人」といった大学受験を背景にした回答とともに、「物知り・博学な人」といった知識量に言及するものが入ってきます。知識量も含めて、ここでもやはり脳の記憶力が主役を占めています。

次に大学生になりますと、やはり多くは学業成績の優秀な人という成績をベースにした見方が基本にあり、加えて「IQの高い人」「物知り・博学な人」「頭の回転が速い人」などのほかに、日常身近に接している教授たちの研究やその成果から受ける印象がベースとなった「思考と創造性のある人」という回答がポチポチと出てきます。

ここでも記憶力がメインであり、加えること「思考力」がまじってきます。

Apple社の、あのスマートフォンを世に出したスティーブ・ジョブズは、高校時代の成績が中程度であり、大学時代にはヒッピーにもなって中退までしてしまっていますので、この就学中の皆さんの尺度から見ればとても彼を頭がいい人などとはいえないことになります。

●学生とは大きく異なる社会人の回答

そこで今度は社会人にききますと、いかに定義などがないことかがわかる100人100様の次のような回答が返ってきました(順不同)。

「ひらめきが鋭い人」「頭の回転が速く、1を聞いて10を知る人」「機転が利く人」「何でもできる人の一言に代表される秀才」「先見性のある人」「直感力のある人」「未知の問題にも柔軟に対応・解決できる人」「論理的思考ができる人」「独創性、発想力のある人」「新しいことに果敢に挑戦し、結果を出せる人」「壁に正面から堂々と立ち向かい、努力できる人」「チャレンジ、向上心がある人」「辛抱強く、最後までやり遂げられる人」「行動と実行の人」などといった仕事関係も含め、日常生活においても秀でる人といったものに始まり、「人を引きつけまとめられる能力のある人」「バランス感覚のある人」「人の個性を尊重でき謙虚な人」「機知に富む人」「空気を的確に読める人」「臨機応変、物事に柔軟に対処できる人」「人間関係をうまくまとめていける人」「人間性のある人」などと、人格や人間性に言及するものまで千差万別に及び、その回答の途中でたまたま出てくる人たちの名前から、いわゆる社会に役立っている人たちを連想して答えているという共通した背景がうかがえました。

そこには計算が速いとか記憶力がいいといったものは、まったく出てきません。そこであなたは、これらの回答から何か気づくことがありませんか。

そうです。ここに出てくる「ひらめき、機転、先見性、直感力、柔軟性、独創性、発想力、挑戦・チャレンジ、向上心、バランス感覚、謙虚、機知、空気を読む、臨機応変、人間性」などはみな、第4章で見たキーワード分析の60%に入っているものばかりであり、ここの人間性の中にはまさしく人間だけが持つ人間力、いわゆるこの人には命を捧げてもいいといった魅力のようなものも含まれていると思われ、すべてそこにはＡＩにできないことが言及されているということです。

ＡＩの一般認識は始まったばかりで、彼らがＡＩを意識して回答しているとは思えません。

●無学、試験に失敗、学校を中退した人たち

さて、ここからあなた、そしてお子さん、お孫さんたちのさらなる成長とＡＩ世紀に向けた重要

なメッセージ部分に入っていきます。

この社会人の回答からすれば、スティーブ・ジョブズは「頭のいい人」の中に入ってくるという
ことになります。

またキーワード分析のきっかけになった松下幸之助や本田宗一郎は小学校あるいは中学校までし
かいっていませんでした。

そこで彼らを例にとって、学業をあまり修めていなかったり、あるいは試験や学業では落ちこぼ
れだったり、または中退などをしたにもかかわらず、世の中に大きく貢献し広く評価されている第
一人者の人たちの実態を、ビジネス界だけでなく、学界や文芸界を含めて調べてみることにしまし
た。

なかなか学校時代の成績までわかる資料は少なかったものの、わかる範囲で調べてみただけでも、
実に多くの人が見つかりました。

そのごく一部を海外と日本に分けて表にしました。

この表だけからしてもいろいろなことがわかります。あのアインシュタインですら、少年時代は
「のろまな奴」といわれたり、受験も失敗しており、物理ですら実験では最低点をもらっています。
あなたのお子さんが最低点をとってきたとしても、大丈夫です。アインシュタインに近づいたので
す。いかがですか。

さらにアインシュタインが師と仰いで、自分の研究室の壁にその肖像画を掲げていたというマイ
ケル・ファラデーにいたっては、鍛冶屋（かじや）の息子として生まれ、小学校にすらいっておらず、ほとん

著名な第一人者	小学校	中学校	高校	大学失敗経験	大学	備考
アインシュタイン	あだな：のろまな奴			受験1回失敗	物理の実験は最低の成績「1」、電気技術は優秀な成績の「6」	
ウォーレン・バフェット		中学の成績は最低のD			面接10分で×	世界長者番付で、常に2〜3位
グレゴール・メンデル					生物の成績が悪く、教員資格試験2回失敗。生物学者	
ジャック・マー(アリババ創業)	受験2回失敗	受験3回失敗		受験2回失敗	ハーバード受験10回とも失敗。KFC24人受験者中1人だけ落ちた。就職活動30回以上不合格	
ビル・ゲイツ					中退	マイクロソフト創業者
スティーブ・ジョブズ			高校成績4段階評価中2・65		中退	Apple創業者
マーク・ザッカーバーグ					中退	Facebook創業者
ラリー・エリソン					中退	オラクル創業者
マイケル・デル					中退	Dell創業者
バリー・ディラー					中退	パラマウント映画・20世紀フォックスの会長
スティーブン・スピルバーグ				受験3回失敗	中退	映画監督
ジョン・ロックフェラー			高卒			石油王
リチャード・ブランソン			中退			ヴァージン・グループ創業者
ウォルト・ディズニー			中退			ディズニー映画、ディズニーランド創設者
ライト兄弟			中退			動力飛行機発明者。世界初の有人飛行成功
ココ・シャネル		中卒				シャネルブランド
アマンシオ・オルテガ		中卒				ZARA創業者
アンドリュー・カーネギー		中退				鉄鋼王
シュリーマン		中退				伝説の都市・トロイアの発掘者
カーネル・サンダース		中退				フライドチキン創業者。ボイラー係などを転々
エジソン	中退					発明家
リンカーン	中退					大統領
グリエルモ・マルコーニ	ほとんど無学					無線電信の開発者
マイケル・ファラデー	ほとんど無学					電磁気学者

さらにここは、学業成績と関係のない学業外の時間

著名な第一人者	小学校	中学校	高校	大学失敗経験	大学	備考
稲盛和夫		受験2回失敗		受験1回失敗		就職試験どこも失敗。京セラ・KDDI創業者
小柴昌俊					学部最下位で卒業、	ノーベル賞受賞者
田中耕一					留年	ノーベル賞受賞者
土光敏夫		受験3回失敗		受験1回失敗		石川島播磨、東芝会長
鈴木敏文		旧制中学受験失敗。蚕業学校へ				セブン-イレブン前会長
司馬遼太郎		中学成績300人中291番		受験1回失敗	数学のない大阪外国語大学へ。	小説家
五木寛之					中退	小説家
藤沢武夫		中卒				本田技研創業副社長
本田宗一郎		中卒				本田技研創業者
松下幸之助	小卒					パナソニック創業者
池波正太郎	小卒					株屋の小僧、旋盤工員、徴税係などを経て小説家
吉川英治	中退					小説家
大谷米太郎	ほとんど無学					ホテルニューオータニ建立

さらにここは、学業成績と関係のない学業外の時間

ど無学の人でした。

スティーブ・ジョブズをはじめマイクロソフトやオラクル、FacebookやDellといった世界のトップIT企業の創業者たちは、皆、大学を卒業するまでに至っていません。

また石油王や鉄鋼王も大学や高校にもいっておらず、無線電信を開発したグリエルモ・マルコーニに至っては小学校すらいっていませんでした。

一方、日本の第一人者を見れば、試験で不合格を経験している人が多く、また司馬遼太郎などは中学の成績が300人中291番目で、あの大企業を育て上げた松下幸之助をはじめ、多くの文化芸術賞を受賞した吉川英治や池波正太郎らは中学校すらいっていませんでした。彼らの少年時代か

らの生涯を見れば、社会そのものが教室だったことがわかります。

小柴昌俊（こしばまさとし）ノーベル賞受賞者の大学卒業時における成績は優が物理実験のひとつだけで、あとは良と可ばかり。250人あまりの理学部同学年卒業生の中でビリだったとされます。

そんな彼らでも、東大を首席で卒業した人たちより、世の中に役立つ業績を残した人たちだということを、皆さんは認めるところだと思います。

ノーベル賞受賞者の小柴昌俊

「世の中に役立つといっても、あの難解な印象を受ける相対性理論が、一体、どう役立っているんだ」と思われる皆さんも多いかもしれません。

しかしスマートフォンやカーナビゲーションシステムを使っている皆さんは、全員その恩恵に浴しているのです。

この相対性理論がなければ位置情報が使えないからです。GPSという名前で知られている衛星を使った全地球測位システム、その衛星信号の時間は、重力の影響及び高速で動いていることから相対性理論により地上より遅れるため、その補正がなければ1日当たり約11㎞も位置の差が出てきて、あなたの位置情報はまったく使い物にならなくなるのです。

ついでにニュートンの解いた微分積分についても、一体どこで役立っているのかと思われるかもしれませんが、これも皆さんは日常的に恩恵を受けているはずで、車の速度計や距離計の針は微分積分を使って動いています。

●学校の成績よりも社会への貢献度

さて、このリストの結果でわかること、それは学校時代の成績が全人格の採点ではないということ、つまり卒業後の未来については、まだ誰も採点していないということです。

ここにお子さんたちや若い人たちに対する重要なメッセージがあります。

そのポイントは人生で過ごす就学中と卒業後の時間、そしてそこで試されることの中身がまったく違うということです。

幼稚園から大学までの就学時間を20年とすると、社会に出てからは80歳まで生きるとして60年、その違いは3倍にもなります。

さらに学業での評価は、教えられたことをしっかり記憶し理解しているかどうかで、それはすでに学んで答えがわかっていることの記憶と理解への成績評価であるのに対して、社会人のそれは未知・未体験など、多くの答えのわかっていない問題に取り組んでいった試練に対する評価で、「試験の世界 vs 試練の世界」の違いです。

社会に出て生きていく中で、学校の成績はみるみる無意味なものになっていきます。なぜなら、生きていくうえで学校の成績はどうだったか、ときく人なんていないからです。

人生で評価されるのは、社会人の回答で見たようにＡＩにはできない分野の能力を発揮し、「どれだけ人の役に立てるか」「どれだけ他の人の役に立つような変化を起こせるかどうか」で、結局、成

就学中と卒業後との違い

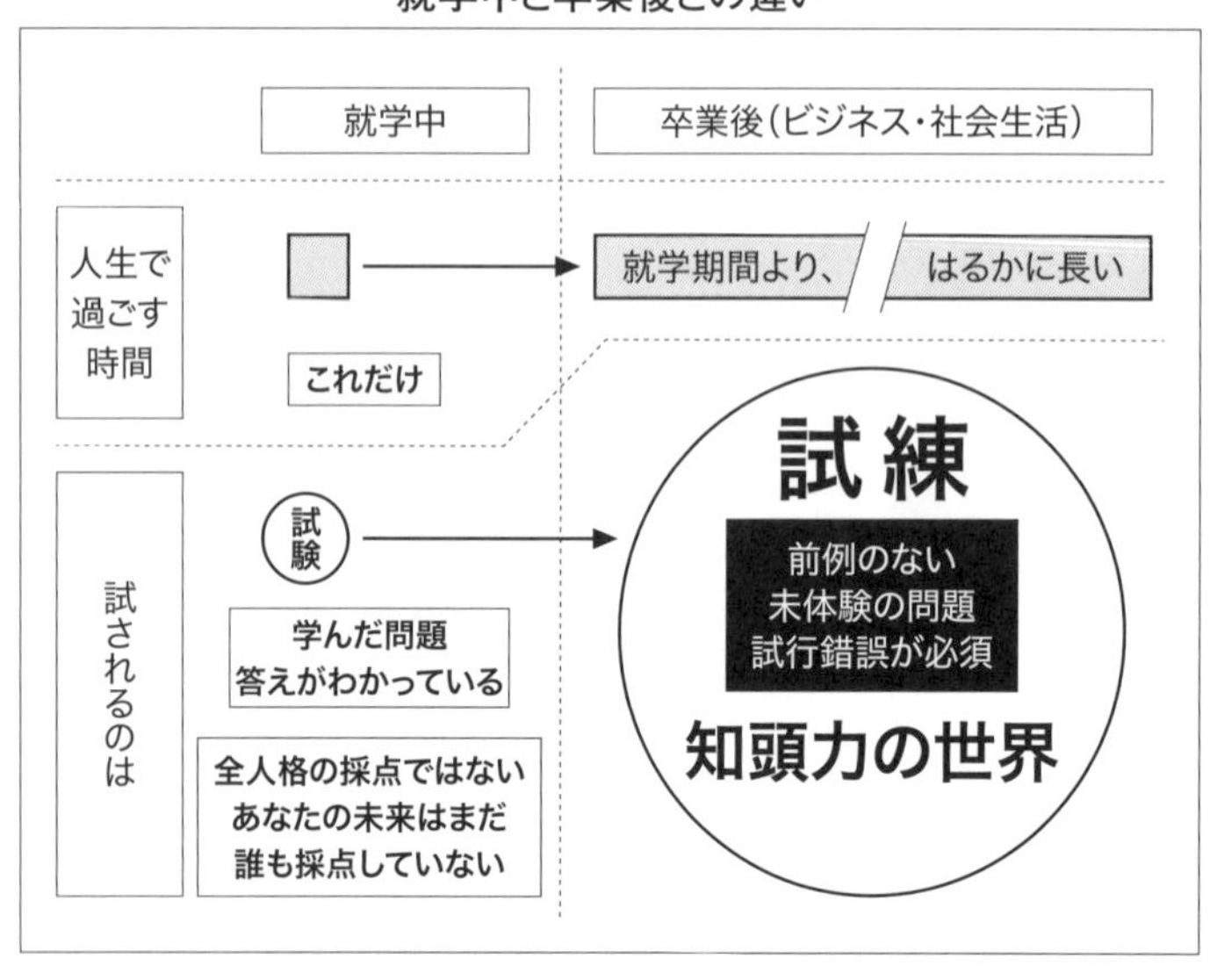

績は単なる紙切れに過ぎなくなってくるということです。

もちろん勉学をしなくていいといっているわけではありません。

それは大事ですが、世の中では学問的知性より、実践的知性がより価値を認められているということです。

西洋には「学問なき経験は、経験なき学問に勝る」(Experience without learning is better than learning without experience.)という格言があります。

いみじくも、日本では吉田松陰が「実行のなかにのみ学問がある。行動しなければ学問ではない」といっています。

リストにある彼らは、当初ガラ空きだったと思われる脳を、実社会の試練の過程でＡＩにはない「内オデコ」の能力をフルに発揮し、逐次埋めていったことが、ここからうかがえ結びつく知頭力です。

つまりこの「内オデコ」が発揮する能力こそが、考える力と気力を包括した真に頭がいいことに結びつく知頭力です。

●頭がいい人というよりも、知頭のいい人

しかし頭のいい人、それが一発でわかる昔からある方法、IQ、つまり知能指数というものがあるではないかとの疑問が出てくると思います。しかし、それではまったく知頭力を測れないのです。

それには、脳科学分野の第一人者・東北大学の川島隆太（かわしまりゅうた）博士がずばり答えてくれます。

「IQは、主に言葉を運用する能力や図形などを処理する能力を見ています。だからいずれも言葉と図形をどう巧みに扱えるか、というふたつの能力を見ているに過ぎません。

実際に私たちはIQの成績と脳の働き具合との相関関係を、データを取って調べていますが、IQが高い人たちは、これらふたつを担当している頭の領域、頭頂葉（とうちょうよう）の連合野（れんごうや）と側頭葉（そくとうよう）の連合野の働きが高いというデータが出ています。

ところが、一番大切な『思考力』『創造力』『判断力』『やる気』『我慢・自制力』などの源泉で、脳の司令塔でもあるオデコに当たる部分の前頭前野の働きとは相関関係が出ていないのです。

だからIQはひとつの指標であって、我々の全能力を評価できるものではないということを、まず知るべきだと思います」

といっています。

ＩＱの考案者・スタンフォード大学教授のターマンが、ＩＱ値１４０以上の10歳前後にあった児童１５２８人を対象に、１９２１年から5～10年おきにインタビューをおこなう形式で研究を開始した調査は、今日までずっと受け継がれていますが、１００年たった今も、当時高いＩＱ値だった児童の中から世界を変えるような傑出した業績を残している者は１人も出ていないことがわかっています。

ノーベル賞受賞者のＷ・ショックレーやＬ・アルヴァレスは、当時のＩＱが１４０以下だったため、この調査対象の１５２８人リストからは外されていたのです。

本書の「はじめに」で見ていただいたダボス会議で決めたトップ10のスキル項目に、ＩＱという文字はどこにも見当たらず、第6位に感性の知能指数＝ＥＱ（Emotional Intelligence）という項目が入っていますが、これこそがまさに知頭力の働き度合いを意味しているものです。

マイクロソフトやApple、Googleをはじめ、アメリカの先端ＩＴ企業が、一番大事にしている能力は何かというと、自分が解決可能な、最大インパクトをもたらす課題を自ら設定し、それを解決するまでやり抜く能力、問題解決力だと、彼らはいっています。言い換えれば知頭力です。

世界経済を牽引する場所が、なぜ東海岸から西海岸に移っていったのか、このことからその背景がわかります。

だから、これからの社会を生き抜くには、頭がいい人というよりも、知頭のいい人といったほうが、的を射ている時代が始まったのです。

日本型の記憶形式の学問が重視される時代は、とうの昔に去り、ＡＩ世紀にはますます知頭力を発揮する人材の育成が、何よりも求められる社会になってきているということです。

ではこの機会に、アメリカ西海岸の先端ＩＴ企業が求めている人材の面接試験問題とはどんなものなのか、ここでそのサンプルの一部を見てもらいます。

●アメリカの先端ＩＴ企業が始めた知頭力の面接試験

高等教育にお金を費やす最終的な目的は「実用性を身につけ、社会に貢献できる人材を作ること」にあると思います。遠回りのようでも、結局、それが世の人々に賞賛され歓迎される結果を生み出すことになるからです。

日本ではこれまで学校でも企業でも、解答がわかっている問題をいかに効率よく解決するかということが重要でしたが、デジタル社会、ＡＩ社会では何が起こるかまったくわからない世界です。

解答がある問題を早く解く能力よりも、未知未体験分野の問題をいち早く発見し、それを試行錯誤しながら解いていく問題解決能力、つまり従来よりも一段と「考える脳」と「気力」、つまり知頭力が不可欠な時代に入ったのです。

一方、アメリカはどうか。今やアメリカというよりも世界の経済を牽引しているのは、東海岸ではなく西海岸です。

そこでは知頭力の涵養がいち早く進みました。

- 富士山を動かすのに、どれくらい時間がかかるか。
- アメリカにガソリン・スタンドは、何軒あるか。

米国の成長企業で出された面接試験問題　その1

あなたは、どう答えますか？

- 富士山を動かすのにどれだけ時間がかかるか。
- シカゴにピアノの調律師は何人いるか。
- アメリカにガソリン・スタンドは、何軒あるか。
- アメリカに理髪店は何軒あるか。
- 鏡が上下でなく左右を逆転させるのはなぜか。
- 盲人用のスパイス置きの棚を設計しなさい。
- ビル・ゲイツの浴室を設計するとしたらどうしますか。
- 車のドアの鍵を開けるには、鍵はどちらに回るのがいいか。
- シアトル中のすべての窓ガラスを洗浄するとして、
  あなたはいくら請求しようとしますか？

・スクールバスにゴルフボールは何個入るか。

これらは実際に面接で出された、荒唐無稽（こうとうむけい）とも思われる問題です。

あなたはわかりますか？　ここでも「あほちゃうか、どうやって解けばええんか。そんなのわからへんやろ〜」との反応でしょうか。

そうです。これらには正解はなく、どうやって解くか、応募者の結論に至るまでの思考プロセスを見ようとしている問題で、フェルミ推定といっています。

その解き方は、「結論のAはわからないが、BとCさえわかれば計算できる。そのBはDが、またCはEがわかれば計算できる……」のように考えることによって推理を進め、概算（がいさん）値（ち）を求めていくものです。

正確な数値を求められているわけではなく、あくまでプロセス、推論していく過程、つまり論理思考を見ようというものですから、途中のDとかEは仮定して進めていけばいいのです。AI世紀に求められる論理思考の問題なのです。

例えば富士山の問題では、土砂をダンプカーで運び出す地

米国の成長企業で出された面接試験問題　その2

あなたは、どう答えますか？

・緑色を定義してください。
・ブラインドのリモコン装置を設計してください。
・マンホールのフタは、なぜ四角ではなく丸いのか。
・スクールバスにゴルフボールは何個入るか。
・世界にクレジットカードは何枚あるでしょうか。
・秤を使わないでジェット機の重さを量るにはどうするか。
・アイスホッケーのリンクにある氷の重さは全部でいくらか。
・50州のうち、ある州を1つだけ除くとしたら、どこにしますか。
・ニューオリンズ地区を流れるミシシッピー川の1時間当たりの流水量はどれだけか。

道でユニークな案を考えたとします。

するとと土砂の量とダンプカーの積載量がわかれば解けそうです。そこで富士山の高さと底辺の大きさの数値を仮定して、富士山の円錐形（えんすいけい）の体積を出し、またダンプカーもおおよその荷台の大きさを仮定してその積載量を出せば、富士山の土砂がダンプカー何台分か割り出せます。そのうえで、1人でダンプカー1台分の土砂を掘削（くっさく）し運び出す日数を仮定して、それにダンプカーの台数を掛けてやれば、移動作業に要する「人・日」という時間が得られます。

またガソリンスタンドの問題は、自前専用の給油所を持つバスやトラックを除き、乗用車用ガソリンの需要と供給という観点から給油サービス時間を軸にして解くとします。

まずアメリカの人口から世帯数、その世帯数から所有乗用車の台数を仮定して全車数を出します。そして例えば1か月に各車の平均給油頻度と満タンにする時間を仮定して、全車で1か月に必要な給油時間Aを出します。

次にガソリンスタンドの1か月における営業時間と1スタンド当たりの平均給油機設置台数を仮定して、1スタンド当たりの1か月給油サービス時間Bを出し、AをBで割れば解答になります。

ＡＩには独自にこのような論理思考や段取りをして回答することができません。

そこでは意味のつかめないような多くの問題を面接という緊張した中で、常識はずれの仮定などができないことや、自分が論理立てた解き方で説得しなければなりません。

それらを制限時間内に解いていくことは、たいへんストレスのかかることですが、それはまさに明日何が起こるかわからないという今日の社会で、学校では教わらなかった、解答が出ないような無理難題の多い課題を、納期など期限付きの時間内に解決処理していかなければならないというビジネス界そのものを反映しています。

まさしくこの面接を通して、思考力や創造力、あるいは洞察力による問題解決力だけでなく、説得力や落ち着き、ねばり強さまでも見ることができ、結果的に応募者の知頭力が垣間見られるということです。

これは会社の面接試験問題ですが、フェルミ推定というよりも、もっと幅広く、これに似たことを以前からやっている大学があります。

それは2校だけでも200人以上のノーベル受賞者を出しているオックスフォードとケンブリッジ大学です。「あなたは自分を賢いと思いますか」など、30分の間に5問ほど、正解などのない質問をして、受験者の「自由な発想」「論理的な思考力」「好奇心」「本人の自信度」、そして面接を通しての発言力などを見ようというものです。

いずれもＡＩにはとてもできないことばかりで、ここでも論理思考だけでなく、それこそ自由研究の元となる発想や好奇心、それに説得力なども含めた総合した知頭力を重視しており、社会に出たあと未知・未体験分野での幅広い問題解決力を発揮できる学生の育成を目指していることがうかがえます。

●チャンス到来！ 次は日本の出番

まだ当面、あるいは当分ＡＩにはできないだろうと判断できる分野を第3章の図表（79〜80ページ）にまとめましたが、そこで見たＡＩがかなわない坂本龍馬や、本章の吉田松陰の言葉、さらにはまた本章の学歴リストにある20代で起業し世界の大企業に育てた諸氏が出てきたところで、大事な話があります。

これは筆者が衆議院議員や官庁の幹部の皆さんたち大勢の勉強会の講師役で話をしたときに、「これからはいろいろなところで、日本のチャンスとして話をしてほしい」と依頼されたことでもあります。

順位	社名
1	NTT
2	日本興業銀行
3	住友銀行
4	富士銀行
5	第一勧業銀行
6	IBM
7	三菱銀行
8	エクソン
9	東京電力
10	Shell Oil
11	トヨタ自動車
12	GE
13	三和銀行
14	野村證券
15	新日本製鉄

今から半世紀以上も前、1ドル360円時代が続き、まだ日本経済が発展途上で欧米の舶来品が羨望（せんぼう）の的であったころのことです。筆者がはじめて海外への赴任先ロンドンに向かう途中、給油のために降り立ったのはアラスカのアンカレッジとデンマークのコペンハ

ーゲンの空港でした。

そこの免税店で目に入ったのが堂々と陳列されている日本製品だったのです。そこにはキヤノンやニコン、そしてソニーの製品があり、さらに両替の窓口で使われていたのが、シャープやカシオの電卓でした。

そのとき、日本を離れてはじめて自分は日本人という強い意識が襲い、世界の中の日本を誇らしく思い、えもいわれぬ感動を覚えた記憶が残っています。

そこで問題です。前ページに挙げた社名順位表は、何の順位かわかりますか。AI世紀には、とにかく考えることが大事だということから、まずはこれを制限時間3分ほど考えてみてください。

これは世の中が激変していくスピードがいかに速いかをまず実感してもらうとともに、そんな中でこの表の意味する内容から、大人はもちろんのこと、今風の「龍馬」の出現を期して、それこそ龍馬と同世代の今の若い世代にこそ明日の日本をリードしてもらうためのチャンスだということで出題した問題です。

そこでこの解答の前に、世の中の激変スピードぶりがよくわかるITの例をひとつ。

時は1969年7月、アポロ計画として月にはじめてふたりの人間が降り立ちました。そのとき、IBMの大型コンピューターが重要な役割を果たしたのですが、ロケットの軌道計算や安全飛行、また不慮の事態への備えもあって、アメリカ航空宇宙局・NASAのコントロールセンターには、メモリー部分を入れた本体1台の大きさだけでも、縦横高さが3m×3m×2mも占める大型機が8台も設置されていたのです。

それから半世紀、２００７年にスマートフォンが登場しました。何と、ＮＡＳＡにあった当時のＩＢＭ大型機8台全部を持ってしても、今のスマホ１台の性能にかなわないほど、今日のＩＴ技術が進んでいるという現実です。

だから半世紀前の人たちに、手のひらサイズのスマホの果たすカメラ、時計、電卓、テレビ、ラジオ、地図、書籍、ネットショッピング、ネット検索、音楽、電話、メール、ゲーム、定期券、決済、懐中電灯、また世界中どこにでも無料のＬＩＮＥテレビ電話などなど、これら全部が入った機能のことや、そのスマートフォンを小学生までもが持っているという話をすれば、間違いなく彼らは「そんなことはあり得ない！」というはずです。

実際、コンピューターが世の中に登場してからまだ75年で、１００年も経っていません。またインターネットの登場からも25年そこそこです。スマートフォンにいたっては、15年経っておらず、さらに本格的なＡＩの登場からは10年も経っていないのです。それら技術革新の間隔がどんどん短くなっているということです。

そこで問題の解答に移ります。それは１９８９年の時価総額（買い取るとしたらの会社の値段）の順位です。

表のように世界の上位10社の中に7社、そして上位50社中でも6割以上の32社も日本の企業が占めていました。

先進国に追いつけ追い越せで、長年にわたり日本中が額（ひたい）に汗して勤めてきた結果です。ところが１９９０年代に入ってから土地バブルがはじけ、以来失われた30年が始まったわけです。

世界時価総額ランキング1989年

順位	企業名	時価総額（億ドル）	国名
1	NTT	1638.6	日本
2	日本興業銀行	715.9	日本
3	住友銀行	695.9	日本
4	富士銀行	670.8	日本
5	第一勧業銀行	660.9	日本
6	IBM	646.5	アメリカ
7	三菱銀行	592.7	日本
8	エクソン	549.2	アメリカ
9	東京電力	544.6	日本
10	ロイヤル・ダッチ・シェル	543.6	オランダ
11	トヨタ自動車	541.7	日本
12	GE（ゼネラル・エレクトリック）	493.6	アメリカ
13	三和銀行	492.9	日本
14	野村證券	444.4	日本
15	新日本製鉄	414.8	日本
16	AT&T	381.2	アメリカ
17	日立製作所	358.2	日本
18	松下電器	357.0	日本
19	フィリップモリス	321.4	アメリカ
20	東芝	309.1	日本
21	関西電力	308.9	日本
22	日本長期信用銀行	308.5	日本
23	東海銀行	305.4	日本
24	三井銀行	296.9	日本
25	メルク	275.2	ドイツ
26	日産自動車	269.8	日本
27	三菱重工業	266.5	日本
28	デュポン	260.8	アメリカ
29	GM（ゼネラルモーターズ）	252.5	アメリカ
30	三菱信託銀行	246.7	日本
31	BT（ブリティッシュ・テレコミュニケーションズ）	242.9	イギリス
32	ベル・サウス	241.7	アメリカ
33	BP（ブリティッシュ・ペトロリアム）	241.5	イギリス
34	フォード・モーター	239.3	アメリカ
35	アモコ	229.3	アメリカ
36	東京銀行	224.6	日本
37	中部電力	219.7	日本
38	住友信託銀行	218.7	日本
39	コカ・コーラ	215.0	アメリカ
40	ウォルマート	214.9	アメリカ
41	三菱地所	214.5	日本
42	川崎製鉄	213.0	日本
43	モービル	211.5	アメリカ
44	東京ガス	211.3	日本
45	東京海上火災保険	209.1	日本
46	NHK	201.5	日本
47	アルコ	196.3	アメリカ
48	日本電気	196.1	日本
49	大和証券	191.1	日本
50	旭硝子	190.5	日本

※平成元年の出典はダイヤモンド社のデータ（https://diamond.jp/articles/-/177641?page=2）。

世界時価総額ランキング2023年

順位	企業名	時価総額（億ドル）	国名	順位	企業名	時価総額（億ドル）	国名
1	アップル	23,242	アメリカ	26	イーライリリー・アンド・カンパニー	3,056	アメリカ
2	サウジアラムコ	18,641	サウジアラビア	27	ホーム・デポ	3,026	アメリカ
3	マイクロソフト	18,559	アメリカ	28	メルク	2,784	アメリカ
4	アルファベット	11,452	アメリカ	29	バンク・オブ・アメリカ	2,736	アメリカ
5	アマゾン	9,576	アメリカ	30	アッヴィ	2,702	アメリカ
6	バークシャー・ハサウェイ	6.763	アメリカ	31	コカ・コーラ	2,590	アメリカ
7	テスラ	6,229	アメリカ	32	アリババ・グループ・ホールディング	2,451	中国
8	エヌビディア	5,728	アメリカ	33	ペプシコ	2,423	アメリカ
9	ユナイテッドヘルス・グループ	4,525	アメリカ	34	ASMLホールディング	2,420	オランダ
10	エクソン・モービル	4,521	アメリカ	35	ブロードコム	2,415	アメリカ
11	ビザ	4,518	アメリカ	36	オラクル	2,390	アメリカ
12	メタ・プラットフォームズ	4,454	アメリカ	37	ロシュ・ホールディング	2,354	スイス
13	台湾セミコンダクター・マニュファクチャリング	4,321	台湾	38	ファイザー	2,344	アメリカ
14	テンセント・ホールディングス	4,239	中国	39	中国工商銀行	2,205	中国
15	JPモルガン・チェース	4,135	アメリカ	40	プロサス	2,177	オランダ
16	LVMH モエ・ヘネシー・ルイ・ヴィトン	4,125	フランス	41	コストコ・ホールセール	2,169	アメリカ
17	ジョンソン＆ジョンソン	4,076	アメリカ	42	ロレアル	2,115	フランス
18	ウォルマート	3,842	アメリカ	43	サーモフィッシャーサイエンティフィック	2,112	アメリカ
19	マスターカード	3,376	アメリカ	44	シェル	2,111	イギリス
20	プロテクター・アンド・ギャンブル	3,285	アメリカ	45	アストラゼネカ	2,075	イギリス
21	貴州茅台酒	3,235	中国	46	中国建設銀行	2,020	中国
22	ノボ ノルディスク	3,234	デンマーク	47	シスコシステムズ	1,992	アメリカ
23	サムスン電子	3,162	韓国	48	インターナショナル・ホールディング	1,958	UAE
24	シェブロン	3,111	アメリカ	49	マクドナルド	1,931	アメリカ
25	ネスレ	3,087	スイス	50	リンデ	1,919	アメリカ

そして30年後の２０２３年３月の時価総額順位も、ＩＴ世界と同じく激変してしまいました。日本の企業はその50社の中に１社もなく、トヨタが52位で、１００社までの順位でもトヨタ１社だけです。

この30年前に20歳で世の中の事情を知り始めた方たちは、今や50歳。だから50歳未満の皆さんは、実際失われたといわれているその30年の中での生活しかわからず、そもそもその「失われた」という言葉の意味すらもわからないままの方たちも多いのではないかと思います。

しかし１９８９年のときのように輝いていた日本が、そこに確かにあったという現実があるのです。そして30年経った今、ＡＩ世紀というチャンスが巡ってきました。

というのも、今、インターネットを使っているのは人間だけです。しかしこれからは物が直接インターネットにつながってくる時代になります。つまりInternet of Things略して「ＩｏＴ」です。そこでは物と物の間でも情報交換が始まる。するとその情報データがどんどん蓄積されていき、やがてそれはビッグデータの源泉となり、ＡＩの有効活用につながってくるわけです。

２０２３年世界のトップ10にあるＩＴ企業は物を作っていません。彼らは物と物とのＩｏＴでは、生のビッグデータを収集できないのです。データがなければＡＩコンピューターはただの箱でしかありません。

●なぜ日本の若者が「次代を担う」と期待されるのか

２０２４年１月20日未明、日本の技術は世界初となる、誤差たった55ｍのピンポイント無人月面着陸を成功させました。またその本体を近くから撮影した日本のおもちゃメーカーの技術も注目されました。振り返ってみれば、１９８９年当時の日本の産業界を裏で支え、栄光を築きあげるのに貢献したのは、その裾野に大きく広がる中小企業でした。物作りは今や新興国に移っていますが、彼らの基盤となっている多くは日本の技術や機械です。

Appleの iPhoneの製造を一手に引き受けている台湾の鴻海（ホンハイ）は、日本から輸入した合計3万台以上の優れた工作機械がなかったら事業が成りたたなくなってしまうほど、その発展に貢献しており、また日本の深絞り技術がなければ電池の液漏れが防げず、世界のスマートフォンは今のような小型にはなっていなかったのです。

大企業も含めて、彼ら中小企業の皆さんがビッグデータの収集を始めれば、そこで日本の巻き返しができるというのが1つ目のチャンスです。

もうひとつはＡＩ世界そのものです。

Appleやマイクロソフト、GoogleやAmazonやFacebookなど、学歴表にある創業者たちは、みな20歳から30歳の間で起業し、世界有数の企業に育て上げました。

この年齢層は、坂本龍馬や吉田松陰、高杉晋作や久坂玄瑞ら、幕末に逝った志士たちの年齢層にぴったり一致します。

英国の有名な歴史学者・トインビーが「日本は、トルコ以東において西洋人に侵略されなかった唯一の国である」といっているように、日本への侵略を防ぎ、かつ近代化日本の道を切り拓いた立役者は、彼ら志士たちだったわけです。

そこでＡＩに目を移せば、特徴学習技術であるディープラーニング（以降ＤＬに略す）のたたみ込みという方式を最初に考案し、２０１２年、物体認識の国際コンテストでダントツの成績で優勝したのはトロント大学院生、クリジェフスキーとサツキーバーのふたりで、このとき彼らは26歳と27歳。ちなみにアインシュタインが特殊相対性理論を発表したのもこの26歳のとき。

次にこのＤＬで、囲碁世界チャンピオンのアルファ碁を開発したディープマインド社をロンドンに設立したのがデミス・ハサビスで30歳のとき。その次に同じくこのＤＬで、ChatGPTを開発したオープンＡＩ社をシリコンバレーに設立したサム・アルトマンも30歳のとき。

このアルトマンやその幹部が、世界の中で日本を真っ先に選び飛んできて、７つの提案とともに協力する旨を岸田首相に申し出たのです。

英語資料による学習がメインだった今のChatGPTで日本語のウエイトを引き上げることや、研究機関と意識などが関与する次世代汎用人工知能の共同研究開発なども勘案しているようで、彼らの発言や彼らを知っている筆者の米国知人からの情報によりますと、新しいものを積極的に取り入れ、変化を肯定的にとらえる日本人の国民性や研究分野での優秀な人材などを高く評価しているようです。

人間が脳で画像や音声をどのように認識しているかを研究していてその仕組みを突き止め、１９７９年にネオコグニトロンという今のディープラーニングの原形を考案したのはＮＨＫの技術研究者だった福島邦彦（ふくしまくにひこ）でした。

これが日の目を見なかったのは、コンピューターのハードがとても追いついていない時代だった

次代に日本の若者の台頭が期待されるディープラーニング開発

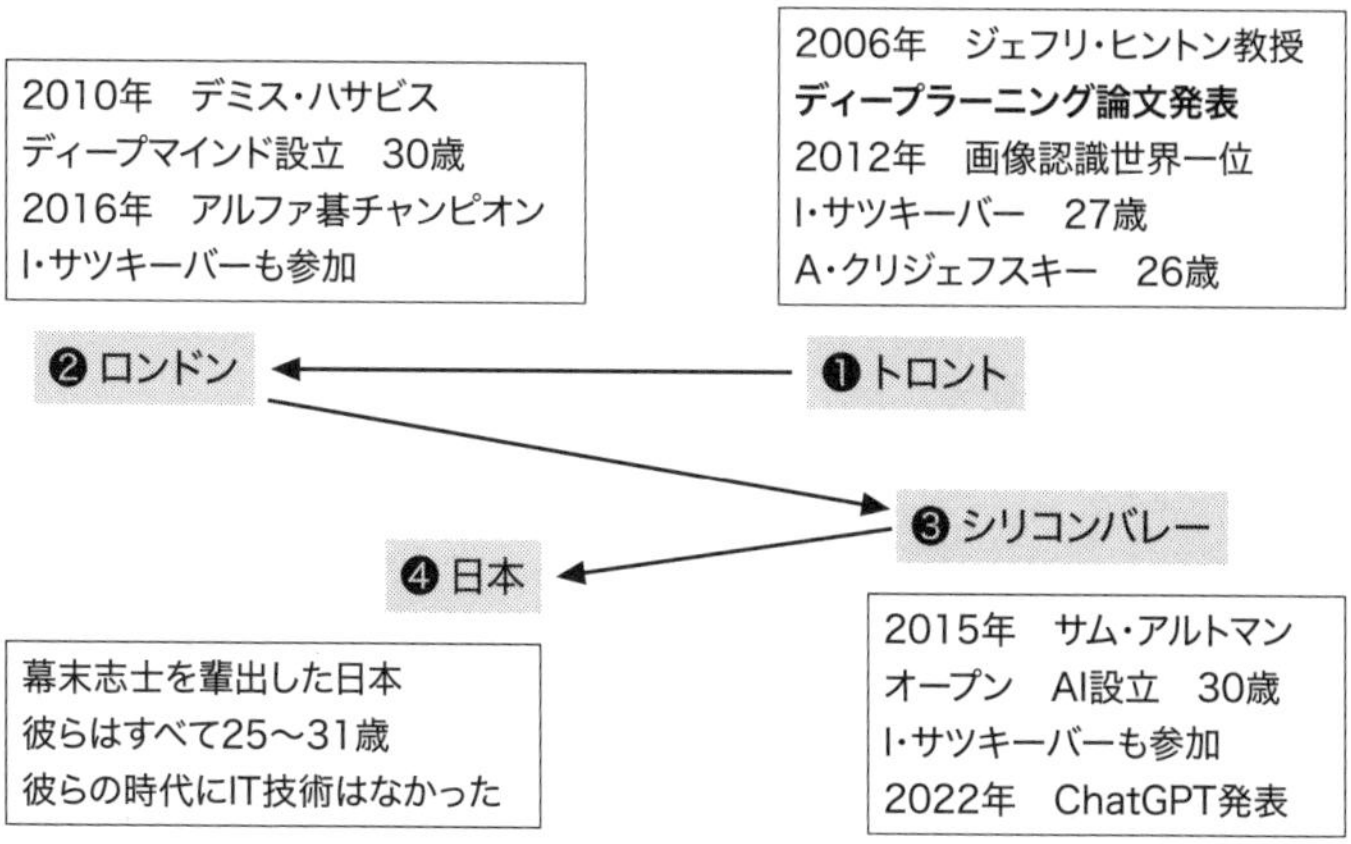

2006年　ジェフリ・ヒントン教授
ディープラーニング論文発表
2012年　画像認識世界一位
I・サツキーバー　27歳
A・クリジェフスキー　26歳

❶トロント → ❷ロンドン

2010年　デミス・ハサビス
ディープマインド設立　30歳
2016年　アルファ碁チャンピオン
I・サツキーバーも参加

❷ロンドン → ❸シリコンバレー

2015年　サム・アルトマン
オープン　AI設立　30歳
I・サツキーバーも参加
2022年　ChatGPT発表

❸シリコンバレー → ❹日本

幕末志士を輩出した日本
彼らはすべて25〜31歳
彼らの時代にIT技術はなかった

からです。注目する点は日本にもこういう人材が半世紀近くも前にいたということです。

またChatGPTの骨格となるトランスフォーマーなる論文をGoogleで発表したメンバーの中のふたり（イギリス人とカナダ人）が2023年8月に日本でスタートアップ会社を立ち上げたのです。

その設立背景は、地理的にAI研究開発で進んでいる世界トップ2の米国と中国の間にあって、また優れた人材が豊富だからというもので、「日本の学生にはとても創造的な人がいる。技術面だけではなく、芸術や人文学、科学を組み合わせることが重要で、私たちが日本で欲しいのは、こうしたことのできるタイプの才能ある人材です」といっています。

これまでこのDLが花を咲かせてきた国を見ますと、ここ10年でトロントのカナダからロンドンの英国へ、そして次に西海岸のアメリカへと移ってきています。次は日本の出番を暗示しているのではないでしょうか。

インターネットの世界では、日本は後塵（こうじん）を拝（はい）してしまいましたが、ＡＩは世界中が一斉にヨーイドンで、今始まったばかり。ここに現代の若者諸氏の活躍する道が大きく広がっているということなのです。

「そんな出番など無理な話だ」とはじめから思う人もいるかもしれません。でも、最初から否定的な頭からは決して物事の成就（じょうじゅ）はかなわないとは、世界の各界第一人者の体験から出ている言葉です。

その出番を後押ししてくれるひとつが広島ＡＩプロセスです。これは生成ＡＩの活用や開発、規制に関する国際的なルール作りを推進するため、先進7か国（Ｇ７）の関係閣僚が中心となり議論をおこなう新たな枠組みで、それを議長国を務めた日本が主導する立場にあるからです。

あなたが20代であればもちろんですが、20代の、あるいはやがて20代となるお子さんをお持ちの親御さんならば、ぜひこの日本のチャンスを彼らに伝えていただき、チャレンジして彼らが日本だけでなく世界に羽ばたき、世の人々に貢献してくれることを願うのは筆者だけではないと思います。

これが２つ目のチャンスなのです。

ここで筆者が海外の友人知人たちから得た、とっておきの情報をご披露します。

それはアメリカの大学でおこなったという80歳以上の老人約６００人に対し調査した結果です。

「あなたの人生で、今、最も後悔していることは何ですか」という質問に対して、70％もの老人が同じ回答をしたというのです。

その回答とは「チャレンジしなかったこと」ということでした。

第一人者の成功チェーンのまさに先頭にきている「チャレンジ・変える」というその機会、それを生かさなかったことを彼らは一番悔やんでいたということです。

前に掲げたリストで見る限り、そこでの各界第一人者はみな、必ずしも学業成績が優秀だった人間でもなければ、学業すら充分に修めていない人たちも多く見受けられました。

最終的な結果が、どこでどう違っていったかは明らかに社会に出てからで、その遠因はキーワード分析の60％、つまりＡＩもできないチャレンジなどを含めた知頭力しかないと筆者は見ました。

ということは、あなたも、あるいはお子さんやお孫さんも、知頭力、つまり「考える力」と「気力」の各要素さえ適宜しっかりと発揮されていくなら、のちに世界各界の第一人者になれるということを示唆していることになるわけです。学業成績がどうであれ、やればできるんだ、ということを改めてお伝えしたいと思います。

龍馬の「ＡＩばできることば、ＡＩに任せばよかたい。けんどＡＩば日本や世界のことは考えちょらんやき、おまんさんやお子らにまっこと期待しちょるぜよ。おまんは何のため生まれてきちょるか、考えたことあるかが。人生ば1回きりじゃけん。チャレンジせんかい」との言葉が聞こえてきそうです。

最後にあなた、あるいはお子さんやお孫さんたちが、ＡＩをうまく使いこなしながら共生し、人間にしかできない分野で知頭力をフルに発揮されて大いに活躍、日本だけでなく、それこそ世界に向けた貢献をされることを切に願い、また本書を通して筆者の使命感のようなものをお伝えすることができたならばと願って、8章までの締めとしたいと思います。

あとがき

２０２３年に大リーガーとして、日本人はじめてのホームラン王や2度目のＭＶＰをはじめ、９個もの賞を取って大活躍している大谷翔平選手。彼はこんなことをいっています。

「ゴミが落ちていたとき、拾わずに通り過ぎようとすると、ゴミのほうから『お前、それでいいのか？』と呼ばれているような錯覚に陥ります」と。

彼は花巻東高時代、佐々木洋監督からの「ゴミは人が落とした運。ゴミを拾うことで運を拾うんだ。そして自分自身にツキを呼ぶ。そういう発想をしなさい」に学んだといっています。

これは彼の行動のごく一部です。「物事の成否を知るには〝内オデコ〟の働きを見ればわかる」というＡＩの教えを本文中で見てもらいましたが、彼のマンダラチャートを見てなるほどと、そこに球界の第一人者となっていく過程を見る思いがしたわけです。

マンダラチャートというのは、曼荼羅模様のマス目の中に、ひとつひとつアイデアを書き込み、それを整理展開して思考を深めるというもので、まずその中心に一番の目標や夢を書き込み、次にそれを成し遂げるための要素でその周りを埋め、さらにそれら要素を次のブロックの中心に添えて同様に展開をしていくものです。

本文中では伝えられなかったこととして、このマンダラ方式は、物事の成就に立ち向かう誰に対しても間違いなく役立つツールのひとつと考えられることから、このあとがきでお伝えすることにしたわけです。

体のケア	サプリメント をのむ	FSQ 90kg	インステップ 改善	体幹強化	軸を ぶらさない	角度を つける	上から ボールを たたく	リストの 強化
柔軟性	体づくり	RSQ 130kg	リリース ポイント の安定	コントロール	不安を なくす	回転数 アップ	キレ	下半身 主導
スタミナ	可動域	食事 夜7杯 朝3杯	下肢の 強化	体を 開かない	メンタル コントロール をする	ボールを 前で リリース	力まない	可動域
はっきり とした目標、 目的をもつ	一喜一憂 しない	頭は冷静に 心は熱く	体づくり	コントロール	キレ	軸でまわる	下肢の強化	体重増加
ピンチ に強い	メンタル	雰囲気に 流されない	メンタル	ドラ1 8球団	スピード 160km/h	体幹強化	スピード 160km/h	肩周り の強化
波を つくらない	勝利への 執念	仲間を 思いやる心	人間性	運	変化球	可動域	ライナー キャッチ ボール	ピッチング を増やす
感性	愛される 人間	計画性	あいさつ	ゴミ拾い	部屋そうじ	カウント ボールを 増やす	フォーク 完成	スライダー のキレ
思いやり	人間性	感謝	道具を 大切に使う	運	審判さん への態度	遅く落差 のある カーブ	変化球	左打者へ の決め球
礼儀	信頼 される人間	継続力	プラス思考	応援される 人間になる	本を読む	ストレートと 同じフォーム で投げる	ストライク からボール に投げる コントロール	奥行を イメージ

図は彼が高校1年生のときに書き込んだそのマンダラ図です。

彼がその中心に挙げた目標・夢は、8球団からドラフト1位の指名でした。そしてそれを成し遂げるための8つの主要項目が、その周りに記入されています。技術が大きく関わる野球というスポーツの中で、その8つのうち「人間性」「メンタル」「運」といった技術面以外の項目が3つも書き込んであり、さらにそれらの中にはプラス思考、感性、感謝、思いやり、ゴミ拾い、礼儀、あいさつ、道具を大切に、一喜一憂しない、波を作らない、頭は冷静に心は熱く、審判さんへの態度、といった要素を挙げているのを見て、なるほどと思ったのです。

というのも、これら要素は「内オデコ」の働きである知頭力に関係するものばかりであり、それをただ単にお題目として挙げているだけではなく、実際に実行しているところに、彼をメジャーで一流の選手に仕立て上げている要因として見てとったからです。

プレー中にツバを吐く選手が多くいる中で、グラウンドに落ちている小さなゴミまでたびたび拾って、尻のポケットに入れるその様はアメリカ人の目にも特別に映るのか、しばしばテレビで放映され、多くの人々にリスペクトされているわけです。

彼は「運」の努力目標の中に「本を読む」という要素までも明記しておりますが、日本ハムにプロ入りした最初のキャンプで『壁を越えられないときに教えてくれる一流の人のすごい考え方』（西沢泰生著）という本を持ち込んでいることから、読書も確実に実行していることがうかがえます。

しかも「読めるときは1日で一気にいっちゃいますし、移動の際とか、時間があって眠くないときに読んでいます。お風呂に入っているときに読むことが多いですかね。湿気で本がふやけるのも気になりません」とまで、のちのインタビューで語っているように、入浴中にまで本を持ち込んで自己啓発研鑽（けんさん）をしているわけですから、これはもう本物の有言実行ということになります。

日本ハム時代、彼は『富の福音』（アンドリュー・カーネギー著）、『運命を拓く』（中村天風著）、『イーロン・マスクの野望』（竹内一正著）、『チーズはどこに消えた』（スペンサー・ジョンソン著）などの本を寮に持ち込んでいたようですが、当時の栗山英樹（くりやまひでき）監督は、「外にもヒントはいっぱいある。そこから得られる感性がないと成長していかない。野球の世界じゃないところから幅を広げる術（すべ）を持ってこないと新しいことが見えない。人として成長できれば野球って絶対うまくなる。その最たる例が大谷選手」といっています。

さらにマンダラ図でなるほどと思った以上に驚いたことがあります。それはやはり高校生のときに作った「野球人生」という、18歳から70歳以降までも、年齢ごとに書き込まれた人生カレンダーを見たときです。

そこにはご覧のように、「メジャー入り」から、「ノーヒットノーラン達成」や「ワールドシリーズ優勝」などが記入され、さらには「結果が出ず引退を考え始める」や、また「日本にアメリカのシステムを導入」、「岩手でリトルリーグの監督」、そして「リトルリーグ日本一」などの日本での抱負や貢献、さらに長男、長女、次男の誕生にまで及んでいます。

17歳にして、成長し夢をかなえていく自分を描き、また一方で年金のことまでも書き込んでいま

18歳　メジャー入団
19歳　3A昇格　英語マスター
20歳　メジャー昇格　15億円
21歳　ローテーション入り　16勝
22歳　サイヤング賞
23歳　WBC日本代表
24歳　ノーヒットノーラン　25勝達成
25歳　世界最速　175km/h
26歳　ワールドシリーズ優勝　結婚
27歳　WBC日本代表　MVP
28歳　男の子誕生
29歳　ノーヒットノーラン2度目達成
30歳　日本人最多勝
31歳　女の子誕生
32歳　ワールドシリーズ2度目の制覇
33歳　次男誕生
34歳　ワールドシリーズ3度目の制覇
35歳　WBC日本代表
36歳　三振数記録達成
37歳　長男野球を始める
38歳　結果が出ず引退を考え始める
39歳　来年での引退を決意
40歳　引退試合　ノーヒットノーラン
41歳　日本に帰ってくる
42歳　日本にアメリカのシステムを導入
43歳〜56歳　…
57歳　プロ野球から引退
58歳　岩手に帰ってくる
59歳　リトルリーグの監督になる
60歳　ハワイ旅行
61歳　リトルリーグ日本一になる
62歳〜64歳　岩手の野球向上に努める
65歳　メジャー年金　3000万円
66歳〜69歳　世界旅行
70歳〜　毎日スポーツ元気で明るい生活

す。彼は高校卒業してすぐにアメリカに渡りマイナーリーグからの出発を書き込んでいますが、実際にはドラフト権を獲得した日本ハムから「いきなりメジャー球団に飛び込むよりも野茂英雄やイチロー、松井秀喜のように日本プロでの経験後に移籍したほうが活躍できる」との度重なる説得を受け、最終的に5年間日本でプレーした後、メジャー入りを果たしました。

だからこのカレンダー表の最初のほうを、この5年間ずらして見ますと、ＷＢＣ日本代表は移籍後5年でぴったり。また表では3年目の年俸15億円と入れていますが、入団後３年間はマイナー扱いというメジャーリーガーの規約にしばられ、億単位の金額にはならなかったものの、５年目の２０２３年は43億円になり、さらに6年目からは新たなドジャースで10年契約による約１０１５億円。まさにカレンダー上でも有言実行以上のことを成し遂げてきていることがわかります。

一方ビジネス界に目を向けますと、例えば同じく19歳で10年ごとの人生50か年カレンダーを作り、有言実行を成し遂げてきている人がいます。それはソフトバンクの孫正義です。

その詳細を語るには一冊の本になってしまいますのでここでは割愛しますが、お伝えしたいことは、生存競争の激しいビジネス界でその実践を後押ししていたのは、「内オデコ」の働きである知頭力だったということです。

ところでシンギュラリティが気になっておられる方たちに一言付け加えておきます。レイ・カーツワイルがこの言葉を初めて使った２００５年の出版物には、人間とＡＩとが融合している２０４５年に言及しているだけです。

そして２０１７年12月29日に放映されたＮＨＫのインタビューでは、

孫正義の人生50年カレンダー

19歳のときに作った人生50か年計画	実行
・20代で自分の業界に名乗りを上げる→	24歳　日本ソフトバンク設立
・30代で軍資金を貯める→	36歳　店頭公開し軍資金に
	37歳　ジフデービス買収
	コムデックス社買収
	38歳　キングストンテク社買収
・40代で一勝負して、何か大きな事業に打って出る→	40歳　東証1部上場
	44歳　ヤフーBB開始
	46歳　固定電話（日本テレコム買取）
	48歳　携帯電話（ボーダフォン買取）
・50代でそれをある程度完成させる→	50歳　iPhone販売契約
	55歳　スプリント社買収
	58歳　ARM社買収
・60代で次の経営陣にバトンタッチする→	64歳　現役

「シンギュラリティが究極的に意味するところは、自ら改良していけるほど知能の高いテクノロジーが生み出され、人工知能が自己改良し続けること、これがシンギュラリティ。

　自分たちが作り出したテクノロジーで自滅する可能性もたしかにあるかもしれない。でも我々は他の生物ができないことができる。私は、人類は生き残れると楽観的に見ている」

　といって前向きな見方をしています。またイーロン・マスクも２０２３年11月のインタビューで、

「人類が人よりも賢いものをコントロールできるか私にはわからない。人類が直面している存亡に関わるリスクでもあると思う。しかし人類にとって有益となる方向に導くよう志すことはできる。そしてやがて仕事が不要になるときがくる。満足感を得るために人は仕事をしたいときにすることができるが、ＡＩはすべてをこなせるようになるだろう」ともいっています。

　ＡＩロボットが畑にいき、熟したトマトだけを採っ

て箱に詰め置いてあるのを、朝起きた農夫が見るといった光景は、すぐそこまできているようで、仕事が奪われるという表現自体が陳腐化し、生産と消費の世界から見たときに、生産品がすべてタダか、あるいはわずかな費用で済み、残るは人間同士におけるサービスで発生する収支を考慮した基礎生活用ベーシックインカムだけで暮らせるような日も遠くはないのかもしれません。

この先AIが、心といったような精神活動をする人間脳に近づくためには、まず第一に「意識」というものの解明が必要になってきます。そしてさらにAIの研究が進めば進むほど、「人間とは何か」という深淵でオールラウンドな課題に挑むことになるでしょう。

筆者の講演風景

本書の執筆にあたり、海外情報の収集で協力いただいたジョン・ルッツ、トム・ハドソン、ジム・コーコラン、スチャート・リン各氏ならびに赴任当時の多くの友人知人たち、また執筆中に助言をいただいた方およびモニターとしてご意見や問題の試し解きなどでご協力いただいた方たちの平越浄、鍋島俊隆、阿部洋己、笹井紘幸、前田了、池田正弘、小澤朋子、広瀬喜一郎、杉浦捷之、扶川晃一、石原俊宏、松田郁夫、宮城新、雉本俊一、堀内覚、藤平建治、佐藤千香子諸氏に、この場を借りて厚くお礼申し上げます。

そしてこの出版を期に、筆者の使命として実費だけによるボランティア活動の講演を全国各地で再開したいと思います。

最後になりましたが、このＡＩ世紀に皆さんが人間脳を存分に発揮され、活躍されることに本書が少しでも役に立てば筆者のこのうえない喜びとするところであります。

◉参考文献（主に本書で取り上げた人物ごとに紹介、順不同）

司馬遼太郎：『竜馬がゆく』文藝春秋社
山中伸弥：「未来をひらく科学の可能性」2019年8月20日（火）子どもシンポジウム　福島大学うつくしまふくしま未来支援センター（FURE）
安藤百福：『奇想天外の発想』（講談社）、『時は命なり』（日本食糧新聞）
孫正義：『孫正義大いに語る!!』（PHP研究所）、『孫正義が吹く』石川好（東洋経済新報社）、『稀代の勝負師 孫正義の将来』山田俊浩（東洋経済新報社）、『幻想曲 孫正義とソフトバンクの過去・今・未来』児玉博（日経BP）、『ゼロから掴んだ男たち』大下英治（徳間書店）、『コンピュータ新人類の研究』野田正彰（文藝春秋社）、『IT時代・成功者の発想』樋口廣太郎・福川伸次（PHP研究所）、『大賀典雄 孫正義感性の勝利』佐藤正忠（経済界）、『孫正義の10年後発想』溝上幸伸（あっぷる出版社）、『ビジネス戦記―「勝ち組」経営者が語る成功の法則』朝日新聞「ウイークエンド経済」編集部（朝日新聞社）　その他、「日本経済新聞」、『アエラ』、『週刊朝日』、『夕刊フジ』、『エコノミスト』、『週刊東洋経済』、『プレジデント』
福武哲彦：『福武の心～ひとすじの道』福武書店
鬼塚喜八郎：『転んだら起きればいい―若き起業家たちへ わが体験的企業経営論』PHP研究所
稲盛和夫：『人生と経営』（致知出版社）、『新しい日本、新しい経営―世界と共生する視座をもとめて』（ＴＢＳブリタニカ）、『心を高める、経営を伸ばす』、『成功への情熱』、『敬天愛人』、『日本への直言』（以上、ＰＨＰ研究所）、『稲盛和夫の実学―経営と会計』（日本経済新聞社）、『燃えて生きよ―稲盛和夫の経営哲学』大西啓義（ダイヤモンド社）、『ある少年の夢―稲盛和夫創業の原点』加藤勝美（ＮＧＳ社）、
本田宗一郎：『俺の考え』（新潮社）、『スピードに生きる』（実業之日本社）、『得てに帆をあげて―本田宗一郎の人生哲学』（三笠書房）、『わが友 本田宗一郎』井深大（ごま書房）
米長邦雄：『人生一手の違い―運と努力と才能の関係』祥伝社、『運を育てる 肝心なのは負けたあと』クレスト社
柳井正：『一勝九敗』（新潮社）
松下幸之助：『私の生き方考え方』、『道をひらく』（以上、PHP研究所）
立石一真：『人を幸せにする人が幸せになる―人間尊重の経営を求めて』（PHP研究所）
大塚正士：『わが実証人生』有光出版
梶谷通稔『企業進化論』、『続企業進化論』（以上、日刊工業新聞社）
若林克彦：『絶対にゆるまないネジ― 小さな会社が世界一になる方法』（中経出版）
アンドリュー・カーネギー：『カーネギー自伝』坂西志保［訳］（中央公論社）
ハワード・シュルツ、ドリー・ジョーンズ ヤング：『スターバックス成功物語』（日経BP）
サム・ウオールトン：『私のウォルマート商法―すべて小さく考えよ』渥美俊一、桜井多恵子［翻訳、監修］（講談社）
デイヴィッド・ロックフェラー『ロックフェラー回顧録』（新潮社）
コンラッド・ヒルトン：『ヒルトン自伝』広瀬英彦［訳］（河出書房新社）
ビル・ゲイツ：『ビル・ゲイツ未来を語る』西和彦［訳］（アスキー）
スティーブ・ジョブズ：『スティーブ・ジョブズ』ウォルター・アイザックソン、井口耕二［訳］（講談社）

アインシュタイン：『アインシュタイン回顧録』渡辺正［訳］(筑摩書房)
レイ・クロック：『成功はゴミ箱の中に　レイ・クロック自伝』レイ・クロック、ロバート・アンダーソン、野崎稚恵［訳］(プレジデント社)
ジョン・ロックフェラー：「The Autobiography of John D. Rockefeller」(Independently published)
スティーブ・ジョブズ：「Steve Jobs : The Man Who Thought Different : A Biography」By Karen BlumenthalFeiwel & Friends(Square Fish)
コンラッド・ヒルトン：「Conrad N. Hilton, hotelier : A Biography.」(T.S.Denison)

●以下、テレビ番組

「脳　未知のフロンティア—驚異の記憶力」(2005年)、「脳　未知のフロンティア—限りなき創造性」(2005年)、「脳　未知のフロンティア—男女の違いと可能性」(2005年)、「地球ドラマティック—ブレインマン」、「地球ドラマティック—脳の力～記憶力の天才たち～」(以上、NHK)、「人間とは何か!?　わたしと地球の38億年物語」(TBS)、『未来創造堂』(日本テレビ)

梶谷通稔 かじたに・みちとし

岐阜県高山市生まれ。早稲田大学理工学部卒業後、日本IBM入社。システムエンジニアとしてロンドンの国際センターでソフトウエア開発、その後、モントリオールの国際センターで開発マネジャー、1993年、米国IBMビジネスエグゼクティブとなる。80年代後半、今日のAI関連学習ソフトの先がけともなる技術を使い、自ら集めたビッグデータ「内外の第一人者の3000文章」の、キーワード分析を実施。これをまとめた書籍『企業進化論』『続・企業進化論』（日刊工業新聞社）はベストセラーとなる。著書にはほかに『成功者の地頭力パズル〜あなたは、ビル・ゲイツの試験に受かるか?』（日経BP社）がある。また政治家・官僚の勉強会、産学官の国際合同会議などで、ネット社会やAI関連の講師を務め、子供の教育や若者の人材育成も積極的に支援。

現在：ニュービジネスコンサルタント社社長。

　　　株式会社サン・フレア最高顧問。

著者メールアドレス：kouen.chiatama@gmail.com

AI世紀を生き抜く人間脳力の鍛え方

二〇二四年二月一八日　初版印刷

二〇二四年二月二八日　初版発行

著　者――梶谷通稔

企画・編集――株式会社夢の設計社

〒一六二-〇〇四一　東京都新宿区早稲田鶴巻町五四三

電話（〇三）三二六七-七八五一（編集）

発行者――小野寺優

発行所――株式会社河出書房新社

〒一五一-〇〇五一　東京都渋谷区千駄ヶ谷二-三二-二

電話（〇三）三四〇四-一二〇一（営業）

https://www.kawade.co.jp/

DTP――アルファヴィル

印刷・製本――中央精版印刷株式会社

Printed in Japan ISBN978-4-309-30034-4